McGRAW-HILL

French

rencontres
first part

Jo Helstrom

Conrad J. Schmitt

Webster Division
McGraw-Hill Book company

NEW YORK • **ATLANTA** • ST. LOUIS • DALLAS • SAN FRANCISCO
• AUCKLAND • BOGOTÁ • HAMBURG •
LONDON • MADRID • MEXICO • MONTREAL • NEW DELHI •
PANAMA • PARIS • SÃO PAULO • SINGAPORE • SYDNEY • TOKYO
• TORONTO

credits

EDITOR • Jacqueline Rebisz
DESIGN SUPERVISOR • James Darby
PRODUCTION SUPERVISOR • Salvador Gonzales
ILLUSTRATORS • Bert Dodson • Hal Frenck • Les Gray
• Susan Lexa • Jane McCreary
• Susan Swan • George Ulrich
PHOTO EDITOR • Alan Forman
PHOTO RESEARCH • Ellen Horan
COVER DESIGN • Group Four, Inc.
LAYOUT AND DESIGN • Function thru Form, Inc.
LANGUAGE CONSULTANT • Jean-Jacques Sicard,
Alliance Française
EDITORIAL CONSULTANTS • Lorraine Garrand
• Deborah Jennings • Carroll Moulton
• Jean-Jacques Sicard • Carolyn Weir

• Cartographer • David Lindroth

This book was set in 10 point Century Schoolbook by Monotype Composition Co., Inc. Color separation was done by Schawkgraphics, Inc.

Library of Congress Cataloging in Publication Data

Helstrom, Jo.
McGraw-Hill French rencontres.

Includes index.
Summary: A textbook for high school students, introducing the fundamentals of French grammar and vocabulary through written and oral exercises and providing cultural information about French-speaking countries throughout the world.
1. French language—Text-books for foreign speakers—English. 2. French language—Grammar—1950– . [1. French language—Grammar] I. Schmitt, Conrad J. II. Title.

PC2129.E5H44   1986   448.2'421   84-23330

ISBN 0-07-028191-2

56789DOLDOL949392919089

acknowledgments

The authors wish to express their appreciation to the many foreign language teachers throughout the United States who have shared their thoughts and experiences with us. We express our particular gratitude to those teachers listed below who have carefully reviewed samples of the original manuscript and have willingly given of their time to offer their comments, suggestions, and recommendations. With the aid of the information supplied to us by these educators, we have attempted to produce a text that is contemporary, communicative, authentic, and useful to a wide variety of students from all geographic areas.

Delores Allen
Woodrow Wilson High School
Middletown, Connecticut

Richard W. Ayotte
Cony High School
Augusta, Maine

Evelyn Brega
Lexington Public Schools
Lexington, Massachusetts

Julia T. Bressler
Nashua Senior High School
Nashua, New Hampshire

Robert J. Bruggeman
Colonel White High School
Dayton, Ohio

Gail Castaldo
Pingry School
Hillside, New Jersey

Nelly D. Chinn
Voorhees High School
Glen Gardner, New Jersey

Renay Compton
Stivers Intermediate School
Dayton, Ohio

Robert Decker
Long Beach Unified Schools
Long Beach, California

Mary-Jo Fassié
William Fleming High School
Roanoke, Virginia

Regina Grammatico
Amity Regional Senior High School
Woodbridge, Connecticut

Helen Grenier
Baton Rouge Magnet High School
Baton Rouge, Louisiana

Michaele P. Hawthornthwaite
Hillcrest High School
Simpsonville, South Carolina

Marion E. Hines
District of Columbia Public Schools
Washington, D.C.

Katy Hoehn
Troy High School
Fullerton, California

Lannie B. Martin
Jefferson-Huguenot-Wythe High School
Richmond, Virginia

David M. Oliver
Bureau of Foreign Language
Chicago Board of Education
Chicago, Illinois

Eunice T. Pavageau
Zachary High School
Baton Rouge, Louisiana

Zelda Penzel
Southside Senior High School
Rockville Centre, New York

John Peters
Cardinal O'Hara High School
Springfield, Pennsylvania

James L. Reed
Orange High School
Cleveland, Ohio

Charlene Sawyer
J. L. Mann High School
Greenville, South Carolina

James J. Shuster
Olney High School
Philadelphia, Pennsylvania

Alice Stanley
Southfield-Lathrup High School
Lathrup Village, Michigan

Mary Margaret Sullivan
George Washington High School
Charleston, West Virginia

Nina von Isakovics
South Lakes High School
Reston, Virginia

Marie S. Wallace
Tilden Intermediate School
Rockville, Maryland

The authors would like to thank Jeanne M. Driscoll for preparing the end vocabulary.
The authors would also like to thank the following persons and organizations for permission to include the following photographs:

3:(bl), **3:**(br) Stuart Cohen; **3:**(tr) Richard Hackett; **3:**(tl) Gillas Peress/Magnum; **5:**(br) stuart Cohen; **5:**(tl) Richard Hackett; **7:**(br) Stuart Cohen; **7:**(tr) Gilles Peress/Magnum; **9:** Beryl Goldberg; **10:**(bl) Owen Franken/Stock, Boston; **10:**(br) Glynn Cloyd/Taurus Photo; **10:**(ml) J. Pavlovsky/Sygma; **10:**(m) Beryl Goldberg; **10:**(mr) Hugh Rogers/Monkmeyer Press Photo; **10:**(ml) Frank Grant/Intl. Stock Photo; **10:**(mr) Sid Nolan/Taurus Photo; **10:**(tl) Dennis Stock/Magnum; **10:**(tr) David Burnett/Woodfin Camp; **15:** Richard Hackett; **17:**(bl), **17:**(bm) Peter Menzel; **17:**(br) Ira Lipsky/Intl. Stock Photo; **17:**(mt) Robert Clark/Photo Researchers; **17:**(ml) Jean Gaumy/Magnum; **17:**(mr) Bernard Pierre Wolff/Photo Researchers; **17:**(tl) Vance Henry/Taurus Photo; **17:**(tr) Hugh Rogers/Monkmeyer Press Photo; **20:**(tl) Frank Siteman/Stock, Boston; **20:**(t) Beryl Goldberg; **21:**(tl) Costa Manos/Magnum; **21:**(tr) Arthur Grace/Stock, Boston; **22:**(bl) Pam Hasegawa/Taurus Photo; **22:**(r), **24:**(l), **24:**(r) Richard Hackett; **25:**(l) Beryl Goldberg; **25:**(mr) Richard Hackett; **27:**(l) Peter Menzel/Stock, Boston; **27:**(r) Beryl Goldberg **28:**(b), **28:**(r) Peter Menzel; **29:**(b), **29:**(t) Beryl Goldberg; **30:**(t) Dana Jennings; **32:** Richard Hackett; **33:** Rapho-Durey/Photo Researchers Inc.; **37:**(l) Owen Franken/Stock, Boston; **37:**(r), **38:**(b), **38:**(t) Peter Menzel; **39:**(b) John Lei/Stock, Boston; **40:**(r), **41:**(b), **41:**(m), **45:**(b), **45:**(t) Richard Hackett; **46:** Hugh Rogers/Monkmeyer; **48:**(l) Beryl Goldberg; **48:**(t) Richard Hackett; **49:**(b) Hugh Rogers/Monkmeyer Press Photo; **49:**(l) Pascal Parrot/Sygma; **52:** Peter Menzel; **53:** Arthur Grace/Stock, Boston; **54:**(l) Peter Menzel; **54:**(m) Len Speier; **54:**(r) Helen Marcus/Photo Researchers; **55:**(l) Beryl Goldberg; **55:**(m) Bob Capece/MGH; **55:**(r) Palmer/Brilliant; **56:** Rapho-Fournier/Photo Researchers Inc.; **58–59:** Jean Gaumy/Magnum; **58:**(bl) Peter Menzel; **58:**(b) Beryl Goldberg; **58:**(t) Gordon W. Gahan/Photo Researchers Inc.; **59:**(b) Peter Menzel; **59:**(mr), Beryl Goldberg; **60:** Peter Menzel; **62:** Beryl Goldberg; **74:**(l) Tom and Michelle Grimm/Intl. Stock Photo; **74:**(r) Gordon Johnson/Photo Researchers Inc.; **76:**(bl) Berlitz/Kay Reese; **76:**(br) Barbara Cooper/Photo Researchers; **76:**(t) C.J. Collins/Photo Researchers; **77:**(b) Peter Menzel; **85:** Richard Hackett; **86:**(l)

Hugh Rogers/Monkmeyer

Bonjour! *Hello!* You have selected one of the most interesting studies available anywhere—a foreign language. Foreign language study is unique because it focuses not only on written language but also on spoken language. This is a communications course; therefore, *all* means of communication are a part of your study of French. Even gestures and body language play a significant role.

The "mystery" of things foreign is about to be revealed to you. Foreign sounds, foreign symbols, foreign custums, and foreign life-styles are all a part of your foreign language experience. This experience can become one of the most exciting, appealing, and long-lasting of your life.

French is the first language of 60 million people in France and in other parts of the world. It is spoken as a second language by an additional 90 million people, since it is either the official language or one of the official languages of more than 30 countries in Africa, North America, and Europe.

The French language is not new to you. You already know dozens of French words that have entered the English language in the field of fashion

Peter Menzel

(peau de soie, velours, blouson), diplomacy (laissez-faire, coup d'état), food (crêpe, restaurant, croissant), common expressions (R.S.V.P., bon voyage), the arts (ballet, troubadour, palette); and place names (Baton Rouge, Des Moines, Terre Haute).

Many reasons can be given for encouraging you to learn a foreign language, but the most important reason of all is that a foreign language can open doors for you that you didn't know existed. You might choose a career using the language itself. The study of a foreign language may help you to enjoy life even more. You will gain a greater understanding of another culture; you will be able to communicate with the people coming from this culture; you will be able to read the many newspapers, magazines, and books written in the language. Many new facets will be added to your life which would not have been available to you before.

Welcome to a new study, a new language, a new life-style! Carry with you our hopes for success in this endeavor which could change your outlook on life.

Stuart Cohen

Jo Helstrom

Mrs. Helstrom is the former Chairperson of the Language Department of the public schools of Madison, New Jersey. She has taught French and Spanish at the junior and senior high school levels. For a number of years she was Lecturer in French at Douglass College, Rutgers, the State University of New Jersey, where she taught methods of teaching French. She has been a Field Consultant in Foreign Languages for the New Jersey State Department of Education and a member of the Executive Committee of the New Jersey Foreign Language Teacher's Association. Mrs. Helstrom was presented the New Jersey Foreign Language Teachers' Association Award for Outstanding Contribution to Foreign language Education. Mrs. Helstrom is co-author of *La France: Une Tapisserie* and *La France: Ses Grandes Heures Littéraires*. She has studied at the Université de Paris and the Universidad Nacional de México and has traveled extensively in France, Mexico, Canada, Puerto Rico, and South America.

Conrad J. Schmitt

Mr. Schmitt was Editor-in-Chief of Foreign Language, ESL, and bilingual publishing with McGraw-Hill Book Company. Prior to joining McGraw-Hill, Mr. Schmitt taught languages at all levels of instruction, from elementary school though college. He has taught Spanish at Montclair State College, Upper Montclair, New Jersey; French at Upsala College, East Orange, New Jersey; and Methods of Teaching a Foreign Language at the Graduate School of Education, Rutgers University, New Brunswick, New Jersey. He also served as Coordinator of Foreign Languages for the Hackensack, New Jersey, Public Schools. Mr. Schmitt is the author of *Schaum's Outline of Spanish Grammar, Schaum's Outline of Spanish Vocabulary, Español: Comencemos, Español: Sigamos,* and the *Let's Speak Spanish* and *A Cada Paso* series. He is also coauthor of *Español: A Descubrirlo, Español: A Sentirlo, McGraw-Hill Spanish: Saludos* and *Amistades, La Fuente Hispana, Le Français: Commençons, Le Français: Continuons,* and *Schaum's Outline of Italian Grammar.* Mr. Schmitt has traveled extensively throughout France, Martinique, Guadeloupe, Haiti, and North Africa.

Contents

x

Le monde du français

le Québec
le Canada
AMÉRIQUE DU NORD
les États-Unis
St-Pierre-et-Miquelon
la Nouvelle-Angleterre
la Louisiane
Haïti
la Guadeloupe
la Martinique
la Guyane française

AMÉRIQUE DU SUD

OCÉAN ATLANTIQUE

OCÉAN PACIFIQUE

EUROPE
la Belgique
la France
le Luxembourg
la Suisse
Monaco
la Corse
le Maroc
la Tunisie
l'Algérie
AFRIQUE
la Mauritanie
le Mali
le Niger
le Tchad
Djibouti
le Sénégal
le Cameroun
la République Centrafricaine
la Guinée
le Ruanda
les Seychelles
la Côte-d'Ivoire
le Zaïre
le Burkina Faso
le Gabon
le Burundi
le Togo
le Congo
le Bénin
le Madagascar
la Réunion
l'île Maurice

OCÉAN INDIEN

AUSTRALIE
la Nouvelle-Calédonie
la Polynésie française (Tahiti)

OCÉAN PACIFIQUE

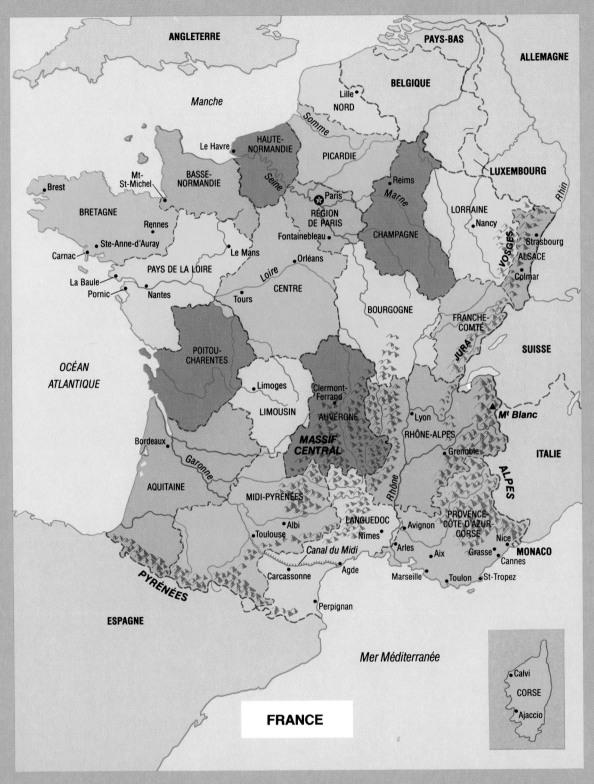

ANGLETERRE

PAYS-BAS

ALLEMAGNE

BELGIQUE

Manche

Lille
NORD

Somme

Le Havre
HAUTE-NORMANDIE

PICARDIE

LUXEMBOURG

Rhin

Brest

Mt-St-Michel

BASSE-NORMANDIE

Seine

Reims

Marne

LORRAINE

Nancy

VOSGES

Strasbourg
ALSACE

Colmar

BRETAGNE

Rennes

Ste-Anne-d'Auray

Carnac

La Baule

Pornic

Nantes

PAYS DE LA LOIRE

Le Mans

Paris
RÉGION DE PARIS

Fontainebleau

Orléans

Loire

CENTRE

Tours

CHAMPAGNE

BOURGOGNE

FRANCHE-COMTÉ

JURA

SUISSE

OCÉAN ATLANTIQUE

POITOU-CHARENTES

Limoges

LIMOUSIN

Clermont-Ferrand

AUVERGNE

MASSIF CENTRAL

Lyon

RHÔNE-ALPES

▲ Mt Blanc

Grenoble

ITALIE

ALPES

Bordeaux

Garonne

AQUITAINE

MIDI-PYRÉNÉES

LANGUEDOC

Avignon

PROVENCE-CÔTE D'AZUR-CORSE

Nice

MONACO

Albi

Toulouse

Nîmes

Arles

Aix

Grasse

Cannes

Canal du Midi

Agde

Marseille

Toulon

St-Tropez

PYRÉNÉES

Carcassonne

Rhône

ESPAGNE

Perpignan

Mer Méditerranée

FRANCE

Calvi

CORSE

Ajaccio

McGRAW-HILL

French

rencontres
first part

Activité 1

Say "hello" to your friends seated near you. Use their French names when you address them.

Activité 2

Say "hi" to several of your friends. Use their French names.

Voilà M. Le Grand.

Voilà Mlle Dumas.

Voilà Mme Papineau.

Note

French speakers tend to be slightly more formal when addressing one another than we are here in the United States. Among friends, the informal greeting **Salut!** is used frequently. When young people address adults, however, they use the more formal **Bonjour!** with the person's title: **monsieur, mademoiselle,** or **madame.** The title is usually used without the person's family name.

Activité 3

Say "hello" to each of your teachers using his/her appropriate title.

Activité 4

Which greeting is being used in the photographs? **Bonjour** or **Salut?**

In the French-speaking world, people tend to shake hands far more frequently than we do here in the United States. People will often shake hands when they meet and again when they take leave of one another. Female friends usually greet each other with a kiss on both cheeks. A boy and girl who are friends will also greet each other this way.

Activité 1

Say "hi" to several friends in class. Use their French names.

Activité 2

Choose friends in your class and ask them how things are going.

Activité 3

Make up a short conversation with a classmate. Say "hi" to each other, ask how things are going, and respond that things are going very well or not so badly.

Au revoir!

Note

In English we use one of several expressions when we take leave of a person. We may use the more formal "good-bye," or we may say "So long. I'll be seeing you." We have the same option in French.

Formal	Informal
Au revoir!	**À bientôt.**

Another frequently used expression is **À tout à l'heure! À tout à l'heure** is used when you know that you will be seeing the person again in a very short time that same day.

Activité 1

Say "hi" to several of your friends.

Activité 2

Ask a friend in class how things are going. Have him/her answer you.

Activité 3

Say "good-bye" to a friend.

Activité 4

Tell a friend you'll be seeing her/him.

Activité 5

Tell a friend you'll be seeing him/her very soon.

Activité 6

What do you think the people in the photographs are saying to each other?

8

Activité 1

Ask a friend in class who someone else is.

Activité 2

Introduce one friend to another friend.

Activité 3

Ask a friend how things are going.

Activité 4

Make up a conversation with a classmate.

1. Say "hi" to your friend.
2. Ask your friend who someone else is.
3. Let your friend introduce you to the new person.
4. Say "hello" to the new person.
5. Ask her/him how things are going.
6. Say "good-bye" to each other.

Les nombres

Les nombres 1–69

1	un	11	onze	21	vingt et un	31	trente et un
2	deux	12	douze	22	vingt-deux	32	trente-deux
3	trois	13	treize	23	vingt-trois		
4	quatre	14	quatorze	24	vingt-quatre	40	quarante
5	cinq	15	quinze	25	vingt-cinq		
6	six	16	seize	26	vingt-six	50	cinquante
7	sept	17	dix-sept	27	vingt-sept		
8	huit	18	dix-huit	28	vingt-huit	60	soixante
9	neuf	19	dix-neuf	29	vingt-neuf		
10	dix	20	vingt	30	trente		

Note

Note that in the numbers **21**, **31**, etc., the word **et** is used. With the numbers **2** through **9**, a hyphen is used.

quarante et un   **quarante-deux**
cinquante et un   **cinquante-trois**

Activité 1

Here's a batch of test papers. What grades did the students receive?

Marcelle Devenvet 12

Jean-Luc Godard 17

André Penault 11

Adrienne Beauchamp 19

Armand Cousteau 15

Sabine Talon 13

Activité 2

Quel nombre est-ce?

1. 7
2. 14
3. 4
4. 18
5. 3
6. 16
7. 54
8. 29
9. 65
10. 42

Les nombres 70–99

After the number **69**, French speakers do a little arithmetic as they count. Observe the following.

70	soixante-dix	80	quatre-vingts	90	quatre-vingt-dix
71	soixante et onze	81	quatre-vingt-un	91	quatre-vingt-onze
72	soixante-douze	82	quatre-vingt-deux	92	quatre-vingt-douze
73	soixante-treize	83	quatre-vingt-trois	93	quatre-vingt-treize
74	soixante-quatorze	84	quatre-vingt-quatre	94	quatre-vingt-quatorze
75	soixante-quinze	85	quatre-vingt-cinq	95	quatre-vingt-quinze
76	soixante-seize	86	quatre-vingt-six	96	quatre-vingt-seize
77	soixante-dix-sept	87	quatre-vingt-sept	97	quatre-vingt-dix-sept
78	soixante-dix-huit	88	quatre-vingt-huit	98	quatre-vingt-dix-huit
79	soixante-dix-neuf	89	quatre-vingt-neuf	99	quatre-vingt-dix-neuf

The number **80** takes an **-s** when it stands alone: **quatre-vingts**. When followed by another number, it does not take an **-s**: **quatre-vingt-six**.

Activité 3

Quel nombre est-ce?

1. 74
2. 88
3. 71
4. 93
5. 98
6. 82
7. 95
8. 79
9. 80
10. 90

Les nombres 100–999

100	cent	101	cent un
200	deux cents	202	deux cent deux
300	trois cents	303	trois cent trois
400	quatre cents	404	quatre cent quatre
500	cinq cents	505	cinq cent cinq
600	six cents	606	six cent six
700	sept cents	707	sept cent sept
800	huit cents	808	huit cent huit
900	neuf cents	909	neuf cent neuf

Note

When no other number follows **cent**—such as **deux cents**, **trois cents**, etc.—the word **cent** takes an **-s**. When it is followed by another number, however, there is no **-s**.

deux cent trois
trois cent quatre-vingts

Activité 4

Quel nombre est-ce?

1. 300		6. 275	
2. 108		7. 590	
3. 425		8. 736	
4. 650		9. 150	
5. 841		10. 999	

Note

When giving a telephone number, French speakers will frequently break the number as follows:

734-25-60
sept cent trente-quatre, vingt-cinq, soixante

Activité 5

Give your telephone number in French.

Activité 6

Here are some numbers from the **Guide téléphonique de Paris**. Give the numbers highlighted in blue.

em Perrie
...MERCE ---- (6)901.12.51
AU 61 rte Orléans ---- (6)901.23.05
AU J ruelle des Bois

ILLEAU JACQUES
LE 3 ÉTOILES DU LUMINAIRE ---- *(6)901.12.51
61 Rte Orléans ---- (6)901.68.92
CAILLET René 14 r Saulx
CAISSE EPARGNE PRÉVOYANCE ---- (6)901.25.57
8 pl Marche

13 r r ---- (6)449.0...
BEREAUX Lucie 16 Grande

BERGERAT MONNOYEUR
CATERPILLAR
DÉPARTEMENT MOTEURS ---- *(6)901.52.15
r Longpont ---- (6)901.45.01
BERGOUIGNAN Claude 2 chem Justice ---- (6)901.44.04
BERGOUIGNAN JF chem Voirie ---- (6)901.88.89
BERNARD Dominique 8 r Plaine ---- (6)901.16.60
BERNARD Lucie 60 r Pichots ---- (6)901.06.18
BERNEUIL A 93 chem Moulin à Vent ---- (6)901.09.61
BERTANI A 47 rte Nozay ---- (6)901.88.52
BERTANI Aimé 53 rte Templiers
BERTANSETTI Jacques ---- (6)901.65.84
17 r Ernest Chesneau ---- (6)901.08.63
BERTANSETTI Marie 101 rte Orléans ---- (6)901.15.98
BERTANSETTI Patrick 3 r Bordet ---- (6)901.03.39
BERTAUX 12 rté Orléans ---- (6)901.05.92
BERTHELOT D 7 r Luisant ---- (6)901.83.32
BERTHIER Micheline 9 bd Mouchy ---- (6)901.17.31
rte Orléans

**CAISSE NATIONALE D'EPARGNE
ET CHÈQUES POSTAUX (PTT)** ---- (6)901.01.97
bd Mouchy ---- (6)901.86.65
CALIE Jean-Michel 5 r Nozay ---- (6)901.83.68
CALLIGARO Rosine 5 r Pichots ---- (6)901.83.11
CALVEZ Ludivine 3 r Bordet ---- (6)901.71.96
CAMILO Antonio r Bourguignons ---- (6)490.92.16
CAMP MILITAIRE quart St Eutrope ---- (6)901.54.07
CAMPION Jean-Pierre 63 rte Sablons ---- (6)901.64.90
CANALE Joseph 32 r Nozay ---- (6)449.04.66
CANELAS José 35 pl Paix ---- (6)901.01.25
CANNET R 18 r Christophe Desaulx ---- (6)901.18.31
CANTELOUP H 20 all Pommiers ---- (6)901.82.45
CAPETTE Alain 3 all Maraichers ---- (6)901.78.83
CAPETTE Christine 8bis r Maillé
CAPICCHIONI Armelle ---- (6)901.11.94
13 r Christpophe de Saulx ---- (6)449.03.39
CAPETTE Christine 13 r Maillé ---- (6)901.87.66
CARIOU Patrick 13 r Notre Dame ---- (6)901.63.10
chel 8 r Notre Dame

PRÉLIMINAIRE

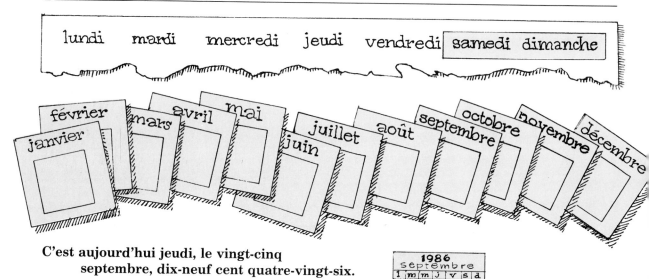

lundi mardi mercredi jeudi vendredi samedi dimanche

janvier février mars avril mai juin juillet août septembre octobre novembre décembre

C'est aujourd'hui jeudi, le vingt-cinq
   septembre, dix-neuf cent quatre-vingt-six.

C'est aujourd'hui lundi, le onze octobre,
   dix-neuf cent quatre-vingt-sept.

C'est aujourd'hui samedi, le premier
   mai, dix-neuf cent quatre-vingt-six.

Note

The numbers you have already learned (*one,* **un;** *two,* **deux;** etc.) are called the cardinal numbers. Adjectives that are formed from these numbers (such as *first, fourth, tenth*) are called ordinal numbers. In French the cardinal numbers rather than the ordinal numbers are used to give the day of the month. The only exception is the first of the month, when the ordinal number **premier** is used.

le premier janvier, le deux janvier, le trois janvier
le premier octobre, le deux octobre, le trois octobre

Activité 1

Quelle est la date aujourd'hui?

Give today's date. Include the day, month, and year.

Activité 2

Give the following important dates in French.*

1. December 25, 800
2. July 14, 1789
3. June 18, 1814
4. November 11, 1918
5. August 25, 1944

Note

In English we write the date at the top of a letter as follows.

September 25, 1986

In French the place and date would be written:

Paris, le 25 septembre 1986

In both French and English, sometimes numbers alone are used to convey the date. September 25, 1986, would be 9/25/86. Note that in French, however, the day comes before the month. **Le vingt-cinq septembre dix-neuf cent quatre-vingt-six** would be **25/9/86.**

Activité 3

Write the following dates in numbers according to the French system.

1. January 23, 1955
2. November 29, 1968
3. July 12, 1973
4. March 9, 1985
5. October 4, 1989

---

* The following events occurred on these dates: (1) Charlemagne was crowned emperor; (2) storming of the Bastille; (3) Battle of Waterloo; (4) armistice ending World War I; (5) liberation of Paris from the Nazi occupation.

Quelle heure est-il?

Il est une heure.

Il est deux heures.

Il est trois heures.

Il est quatre heures
moins cinq.

Il est cinq heures
moins dix.

Il est six heures
cinq.

Il est sept heures
vingt.

Il est huit heures
et demie.

Il est neuf heures
et quart.

Il est dix heures
et quart.

Il est onze heures
moins le quart.

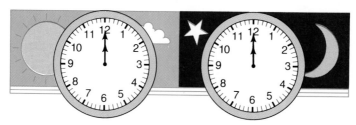
Il est midi.   Il est minuit.

Activité 1

Quelle heure est-il?

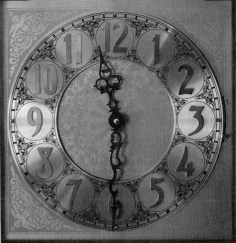

Il est six heures du matin.

Il est deux heures de l'après-midi.

Il est dix heures du soir.

Activité 2

Los Angeles	Chicago	New York	Fort-de-France	Paris

Il est six heures du matin à Los Angeles.

- Quelle heure est-il à Chicago?
- Quelle heure est-il à New York?

- Quelle heure est-il à Fort-de-France?
- Quelle heure est-il à Paris?

Note

To express at what time something is, the word **à** is used.

À une heure.   **À trois heures et quart.**
À deux heures.   **À cinq heures et demie.**

Activité 3

Read this busy school schedule.

- À quelle heure est la classe de mathématiques?
- À quelle heure est la classe d'histoire?
- À quelle heure est la classe de français?
- À quelle heure est la classe de biologie?
- À quelle heure est la classe d'anglais?
- À quelle heure est la classe de géographie?

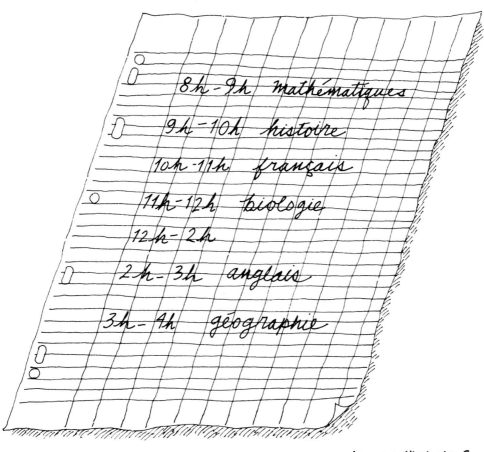

8h – 9h mathématiques
9h – 10h histoire
10h – 11h français
11h – 12h biologie
12h – 2h
2h – 3h anglais
3h – 4h géographie

1 Elle est française!

une élève

un lycée

Voilà Marie-France Gaudin.
Elle est française.
Elle est élève.
Elle est élève **dans**
un lycée **à** Paris.

Comment est-elle?

brune

grande   petite

intelligente

Exercice 1 Marie-France est française?
Répondez avec *oui*. (*Answer with **oui**.*)

1. Marie-France est française?
2. Elle est brune?
3. Elle est élève?

4. Elle est intelligente?
5. Elle est grande?

Exercice 2 Qui est française?
Répondez avec le nom. (*Answer with the name.*)

1. Qui est française?
2. Qui est brune?

3. Qui est élève?
4. Qui est intelligente?

un élève

une école

Voilà Alain Chambers.
Il est américain.
Il est élève dans une école à Chicago.

Comment est-il?

blond

grand   petit

intelligent

Exercice 3   Alain est américain?
Répondez avec *oui*. *(Answer with **oui**.)*

1. Alain Chambers est américain?
2. Il est blond?
3. Il est élève?

4. Il est intelligent?
5. Il est élève dans une école américaine?

Exercice 4   Qui est américain?
Répondez avec le nom. *(Answer with the name.)*

1. Qui est américain?
2. Qui est blond?

3. Qui est élève?
4. Qui est intelligent?

$Structure

Les articles définis *le, la, l'*

The name of a person, place, or thing is a noun. Every French noun has a gender, either masculine or feminine. A definite article (*the* in English) often accompanies a noun. Study the following examples.

la fille	**le garçon**	**l'élève**
	le lycée	**l'école**

Note that:

The definite article **la** accompanies a feminine noun.

The definite article **le** accompanies a masculine noun.

The definite article **l'** accompanies a masculine or feminine noun that begins with a vowel. The vowels are **a e i o u.**

Exercice 1   Un garçon et une fille

Complétez avec *le, la* ou *l'*. (*Complete with le, la, or l'.*)

1. _____ garçon est américain.
2. _____ fille est française.
3. _____ garçon est blond et _____ fille est brune.
4. _____ fille est grande et _____ garçon est grand aussi.
5. _____ élève est petit.
6. _____ élève est intelligent aussi.
7. _____ lycée Duhamel est à Paris.
8. _____ école William Howard Taft est à Chicago.

Les articles indéfinis *une, un*

The English word *a (an)* is an indefinite article. In French the indefinite article **une** accompanies a feminine noun, and the indefinite article **un** accompanies a masculine noun. Observe the following.

une fille   **un garçon**
une élève   **un élève**

Exercice 2   Alain et Marie-France
Complétez avec *une* ou *un*.   *(Complete with **une** or **un**.)*

1. Alain Chambers est _____ garçon.
2. Marie-France est _____ fille.
3. Alain est _____ garçon américain et Marie-France est _____ fille française.
4. Le lycée Duhamel est _____ lycée français.
5. Marie-France est élève dans _____ lycée à Paris.
6. L'école William Howard Taft est _____ école américaine.
7. Alain est élève dans _____ école à Chicago.

L'accord des adjectifs au singulier

A word that describes a noun is an adjective. Study the following sentences. The words in bold type are adjectives.

La fille est **française.**   Le garçon est **français.**
Marie-France est **intelligente.**   Alain est **intelligent.**

In French an adjective must agree with the noun it describes or modifies. If the noun is masculine, then the adjective must be in the masculine form. If the noun is feminine, the adjective must be in the feminine form.

une fille blonde   **un garçon blond**

Feminine adjectives end in **-e.** When the **-e** follows a consonant, the consonant is pronounced.

Many masculine adjectives end in a consonant. Since the consonant is not followed by an **e** in the masculine form, the final consonant is not pronounced. For example, the **s** is pronounced in the word **française** (feminine) but not in the word **français** (masculine).

Certain feminine adjectives end in **-ne,** such as **brune.** The **n** is pronounced in these words. The masculine form is written without the **e,** and the vowel that goes before the **n** is nasal.

une fille brune   **un garçon brun**

Exercice 3   Féminin et masculin
Prononcez.   *(Pronounce.)*

1. française, français
2. intelligente, intelligent
3. blonde, blond

4. petite, petit
5. grande, grand
6. brune, brun

Exercice 4 **Marie-France**

Répondez. *(Answer.)*

1. Est-ce que Marie-France Gaudin est française ou américaine?
2. Est-elle brune ou blonde?
3. Est-elle grande ou petite?
4. Est-elle élève dans un lycée ou dans une école américaine?

Exercice 5 **Deux élèves**

Complétez. *(Complete.)*

1. Marie-France Gaudin est _____ . **français**
2. Alain Chambers est _____ . **américain**
3. Marie-France est _____ . **intelligent**
4. Elle est _____ . **brun**
5. Alain Chambers est _____ aussi. **intelligent**
6. Il est _____ . **blond**
7. Marie-France est _____ et Alain est _____ aussi. **grand**

La position des adjectifs

Note that unlike English adjectives, many French adjectives follow the noun they modify.

> **Alain est un garçon américain.**
> **La fille brune est française.**

Exercice 6 **Un Américain et une Française**

Mettez la forme convenable de l'adjectif dans la phrase. *(Put the correct form of the adjective in the sentence.)*

1. Le garçon est américain. **brun**
2. La fille est française. **brun**
3. Le lycée Duhamel est un lycée à Paris. **français**
4. L'école William Howard Taft est une école à Chicago. **américain**

Prononciation

Les lettres muettes

In certain English words there are letters that are not pronounced.

often
although
night

In French, too, there are silent letters.

Final e	Most final consonants
madame	Gilbert
Marie	salut
Jacqueline	bientôt
France	là-bas
quatre	deux
onze	Leclerc
douze	Legrand

Careful! There are some exceptions. Very often the final *c, r, f,* or *l* is pronounced. Other final consonants are occasionally sounded.

parc	avril
Luc	cinq
bonjour	six
cher	dix
neuf	sept
œuf	mars
mal	

ℓecture culturelle

Marie-France Gaudin

Marie-France Gaudin est une fille française. Elle est brune. Marie-France est élève. Elle est élève dans un lycée à Paris. Elle est très* intelligente.

Alain Chambers est un garçon américain. Il est blond. Il est très* grand. Alain est élève. Il est élève dans une école à Chicago.

Exercice Choisissez. *(Choose.)*

1. Marie-France est _____ .
   a. une fille
   b. un garçon
   c. américaine

2. Elle est _____ .
   a. blonde
   b. brune
   c. américaine

3. Elle est élève _____ .
   a. dans une école américaine
   b. dans un lycée à Chicago
   c. dans un lycée à Paris

4. Alain Chambers est _____ .
   a. français
   b. américain
   c. petit

5. Il est _____ .
   a. brun
   b. blond
   c. petit

6. Il est _____ .
   a. élève
   b. élève dans un lycée à Paris
   c. très brun

---

*très *very*

Activités

1 Here is Jean-Claude. He is a French student from Paris. Tell all you can about him.

2 Here is Debora Andrews. She is an American student from Miami. Tell all you can about her.

galerie vivante

Voici Jean-Luc Duval.
Il est français.
Il est élève dans un lycée à Paris.
Il est blond ou brun?

Voici Louis Berthollet.
Louis est élève au lycée Jeanne d'Arc aussi.
Il est très intelligent.
Est-ce que Louis est français ou américain?

Voici Catherine Roissy.
Elle est française.
Elle est élève au lycée Jeanne
d'Arc.
Le lycée Jeanne d'Arc est à
Rouen.
Est-ce que Catherine est blonde
ou brune?

Voici le lycée Arago.
Le lycée Arago est à
Perpignan.
Est-ce que le lycée
Arago est grand ou
petit?

29

2 Je suis Nicole

un ami   une amie

☆ PARIS

Bonjour, **tout le monde.**
Je suis Nicole Toussaint.
Je suis française.
Je suis **de** Paris.

contente   triste

As you continue with your study of French you will be amazed at how many French words you already know or whose meaning you can guess. Do you have any trouble understanding these words?

Voilà Alain. Comment est-il?

Il est **intelligent, intéressant, sincère, fantastique, magnifique.**

Words such as those above that look alike and mean the same thing in both languages are called cognates. Be careful, however. Although they look alike and mean the same thing in both languages, they are pronounced differently in each language.

There are also many French words for which there is no exact translation. Such a word is **sympathique.** This word has no exact English equivalent. It has the meanings *nice, pleasant, warm, friendly,* all conveyed in one word.

Exercice 1 Nicole
Répondez. *(Answer.)*

1. Est-ce que Nicole est française?
2. Est-elle de Paris?
3. Est-ce que Nicole est une amie de Marie-France?
4. Est-elle sympathique?
5. Est-elle sincère aussi?

Exercice 2 Marie-France
Voilà Marie-France, l'amie de Nicole Toussaint. Comment est-elle?

1. Elle est _____ .
2. Elle est _____ .
3. Elle est _____ .
4. Elle est _____ .
5. Elle est _____ .

Exercice 3 Personnellement
Complétez. *(Complete.)*

Je suis _____ . *(name)*
Je suis _____ . *(nationality)*
Je suis de _____ . *(place)*
Je suis _____ . *(student)*

Structure

Le verbe *être* au singulier

The verb *to be* in French is **être.** Study the singular forms of the verb **être** in the present tense.

Infinitive	être
Singular	je suis
	tu es
	il est
	elle est

Exercice 1 Alain et Nicole

Pratiquez la conversation. *(Practice the conversation.)*

Alain Qui es-tu?
Nicole Moi, je suis Nicole. Nicole Toussaint.
Alain Es-tu américaine, Nicole?
Nicole Non, je ne suis pas américaine. Je suis française. Tu es américain, n'est-ce pas?
Alain Oui, je suis américain. Je suis de Chicago.

Exercice 2 Une interview

Répondez avec *je suis*. *(Answer with **je suis**.)*

1. Es-tu américain(e) ou français(e)?
2. Es-tu brun(e) ou blond(e)?
3. Es-tu petit(e) ou grand(e)?
4. Es-tu élève dans un lycée ou dans une école américaine?
5. Es-tu un(e) ami(e) de _____?

Exercice 3 Mais non!

Répondez avec *Non, je ne suis pas*. *(Answer with **Non, je ne suis pas**.)*

1. Es-tu français(e)?
2. Es-tu élève dans un lycée français?
3. Es-tu de Paris?
4. Es-tu un(e) ami(e) de Victor Hugo?

Exercice 4 Jean-Claude

Here's a photograph of Jean-Claude. He is from Lyon, in France. Ask him if he is:

français
Jean-Claude, es-tu français?

1. français
2. blond
3. élève
4. de Lyon
5. élève dans un lycée à Lyon

Exercice 5 Ginette

Here's a photograph of Ginette. She is from Nice. Ask her if she is:

1. américaine
2. française
3. élève
4. de Nice
5. une amie de Marie-France

Exercice 6 Nicole Toussaint

Complétez avec la forme convenable du verbe *être*. *(Complete with the correct form of the verb **être**.)*

1. Je _____ Nicole Toussaint.
2. Je _____ française.
3. Je _____ une amie de Marie-France.
4. Elle _____ élève, et moi aussi je _____ élève.
5. Marie-France _____ une amie très sincère.
6. Elle _____ sympathique.
7. Elle _____ très intelligente.
8. Moi aussi, je _____ intelligente.
9. Tu _____ intelligent(e) aussi, n'est-ce pas?
10. _____-tu élève?
11. Tu _____ blond(e) ou brun(e)?

La négation *ne... pas*

The sentences in the first column are in the affirmative. The sentences in the second column are in the negative.

Affirmative (Yes)	Negative (No)
Je suis américain.	Je ne suis pas français.
Tu es blond.	Tu n'es pas brun.
Il est grand.	Il n'est pas petit.
Elle est française.	Elle n'est pas américaine.

A statement is made negative by placing **ne** before the verb and **pas** after the verb.

Je <u>ne</u> suis <u>pas</u> français.

Ne becomes **n'** before a vowel:

Il <u>n'</u>est <u>pas</u> américain.

Exercice 7 Elle n'est pas américaine!

Écrivez à la forme négative. *(Write in the negative.)*

1. Marie-France est américaine.
2. Elle est élève dans une école américaine à New York.
3. Elle est de New York.
4. Moi, je suis français(e).
5. Je suis élève dans un lycée à Paris.
6. Tu es français?

Exercice 8 Marie-France est française!

Écrivez à la forme négative et complétez. *(Write in the negative and complete.)*

1. Marie-France est américaine.
   Elle est _____ .
2. Elle est élève dans une école américaine.
   Elle est élève dans _____ .
3. Elle est de New York.
   Elle est de _____ .
4. Moi, je suis français(e).
   Je suis _____ .
5. Je suis triste.
   Je suis _____ .
6. Je suis élève dans un lycée à Paris.
   Je suis élève dans une _____ .

L'interrogation

You have already encountered three ways of forming a question in French. One way is by intonation. You merely raise the tone of your voice at the end of the sentence.

> **Marie-France est française?**
> **Il est français aussi?**

Another way to form a question in French is to put **est-ce que** before the statement. Note that **est-ce que** becomes **est-ce qu'** before a vowel.

> **Est-ce que Marie-France est française?**
> **Est-ce qu'elle est grande?**

The third way of forming a question is to add **n'est-ce pas?** to the statement. When you use **n'est-ce pas,** you are really asking for confirmation of the statement. In the following sentences, **n'est-ce pas** is equivalent to the English *isn't she?* and *aren't you?*

> **Marie-France est française, n'est-ce pas?**
> **Tu es américain, n'est-ce pas?**

There is a fourth way of forming a question. It is less frequently used in spoken French than intonation and **est-ce que.** It is called inversion. Look at the word order in the following sentences.

Statement	*Question*
Il est français.	**Est-il français?**
Elle est grande.	**Est-elle grande?**
Tu es américaine.	**Es-tu américaine?**

34

In the question, the subject and verb are inverted, and a hyphen is placed between them.

The **t** of **est** in **est-il** and **est-elle** is pronounced in spoken French because it is followed by a vowel. This is called a *liaison*. In your study of French, you will encounter other instances where a liaison must be made between a consonant and a vowel.

Exercice 9 Des questions
Posez une question. *(Ask a question.)*

Jacques / français
Est-ce que Jacques est français?

1. Marie / américaine
2. François / blond
3. Carole / brune
4. Thomas / intelligent

Exercice 10 Alain et Nicole
Complétez. *(Complete.)*

Alain   Bonjour.
Nicole   Bonjour.
Alain   _____ _____ Nicole Toussaint?
Nicole   Oui, je suis Nicole Toussaint.
Alain   _____ _____ une amie de Marie-France Gaudin?
Nicole   Oui.
Alain   _____ _____ à Paris maintenant?
Nicole   Non, elle n'est pas à Paris. Elle est à Nice. Elle est en vacances.

Les adjectifs avec une seule forme

Study the following sentences.

> **Alain Chambers est un garçon très sincère. Il est sympathique.**
> **Marie-France est une fille très sincère. Elle est sympathique.**

Many French adjectives that end in an **-e** have only one singular form. The same form is used with both masculine and feminine nouns.

Exercice 11 Nicole et Paul
Complétez. *(Complete.)*

1. Nicole Toussaint est une amie _____ . Elle est _____ .   **sincère, sympathique**
2. Paul n'est pas _____ . Il est content.   **triste**
3. Un lycée est une école _____ française.   **secondaire**
4. Je suis élève dans une école _____ américaine.   **secondaire**

Prononciation

French vowels are shorter and more clearly pronounced than English vowels. When you pronounce **i**, do not add a *y* sound to the end, as one does in the English word *see*.

a	**e**	**i**	**u**
ah	le	six	salut
va	Leclerc	Henri	Dumas
la	Legrand	lundi	Luc
madame	revoir	dimanche	duc

Pratique et dictée

Salut, Henri! Ça va? C'est Luc Dumas.
À lundi, Mme Leclerc. Au revoir! À lundi!

Expressions utiles

A very useful expression to know in French when you would like to get a friend's attention is **Dis donc!**

When French speakers wish to agree with something that someone has just said, they will very often use the following expressions.

C'est vrai.
D'accord. (D'ac.)
C'est l'essentiel.

When French speakers want to say that something is very nice they will frequently say:

Oh là là!
C'est chouette!

Conversation

Alain et Nicole

Alain Bonjour. Tu es Nicole Toussaint?
Nicole Oui, je suis Nicole Toussaint. Tu es Alain, n'est-ce pas?
Alain Oui, je suis Alain Chambers.
Nicole Tu es l'ami américain de Marie-France Gaudin?
Alain Oui. Elle est très sympa, n'est-ce pas?
Nicole Je suis complètement d'accord. Elle est formidable.

Alain	Et elle est très sincère. C'est l'essentiel.
Nicole	C'est vrai.
Alain	Dis donc! Est-elle à Paris maintenant?
Nicole	Non, elle est à Nice. Elle est en vacances.
Alain	Oh là là! À Nice? C'est très chouette.

Exercice Répondez. *(Answer.)*

1. Est-ce que Nicole Toussaint est française?
2. Alain Chambers, est-il français aussi?
3. Qui est l'ami américain de Marie-France?
4. Qui est très sympa?
5. Est-ce que Nicole est d'accord?
6. Est-ce que Marie-France est à Paris maintenant?
7. Est-elle en vacances à Nice?

Activités

1 You have just received this photo from your new pen pal in France. Write her a letter in French. Tell her who you are, your nationality, where you are from, and where you are a student. Give a brief description of yourself.

2 Look at the photograph of this boy. Ask him as many questions about himself as you can.

galerie vivante

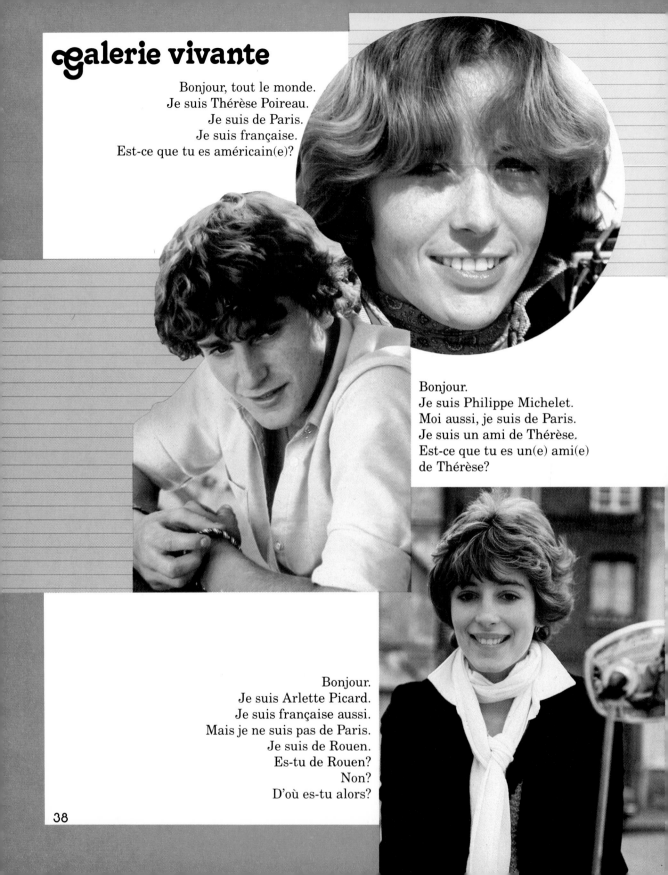

Bonjour, tout le monde.
Je suis Thérèse Poireau.
Je suis de Paris.
Je suis française.
Est-ce que tu es américain(e)?

Bonjour.
Je suis Philippe Michelet.
Moi aussi, je suis de Paris.
Je suis un ami de Thérèse.
Est-ce que tu es un(e) ami(e)
de Thérèse?

Bonjour.
Je suis Arlette Picard.
Je suis française aussi.
Mais je ne suis pas de Paris.
Je suis de Rouen.
Es-tu de Rouen?
Non?
D'où es-tu alors?

Salut!
Je suis Henri Garnier.
Je suis de Lyon.
Je suis élève dans un lycée à Lyon.
Es-tu élève dans une école américaine?

Bonjour.
Je suis Charles Caumartin.
Je suis de Fort-de-France.
Je suis martiniquais.

Bonjour.
Je suis Claudine Lanier.
Je ne suis pas française.
Je suis de Québec.
Je suis canadienne.

3 Deux copines

les sœurs

les copines

Voilà Marie-France et Thérèse.
Les deux filles **ne sont pas** sœurs.
Elles sont copines.
Elles sont très **enthousiastes pour les sports.**
Elles sont **sportives.**

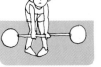

forte   faible

Exercice 1   Marie-France et Thérèse
Répondez. *(Answer.)*

1. Est-ce que Marie-France et Thérèse sont sœurs ou amies?
2. Sont-elles très enthousiastes pour les sports?
3. Sont-elles sportives?
4. Sont-elles fortes?

Expressions utiles

You have already learned several expressions that French speakers use when they agree with something that has just been said. When they disagree with something that has just been said, they are apt to use the following expressions.

Mais non.
Pas du tout.
Au contraire.

In order to request a clarification of the disagreement and to find out what the other person thinks, French speakers will frequently ask:

Alors?

Exercice 2 Sont-elles blondes?

Répondez d'après le modèle. *(Answer according to the model.)*

Sont-elles blondes?
Mais non. Pas du tout. Au contraire.

Alors? Comment sont-elles?
Elles sont brunes.

1. Sont-elles petites?
2. Sont-elles faibles?
3. Sont-elles tristes?
4. Sont-elles brunes?

les copains

les frères

Voilà Jean-Claude et Paul. Les deux garçons ne sont pas frères. Ils sont copains. Ils sont très enthousiastes pour les sports. Ils sont sportifs. Ils sont très forts. Ils ne sont pas faibles.

Exercice 3 Jean-Claude et Paul
Répondez. *(Answer.)*

1. Les deux garçons sont frères?
2. Sont-ils copains?
3. Sont-ils très enthousiastes pour les sports?
4. Sont-ils forts ou faibles?

Exercice 4 Comment sont-ils?
Répondez. *(Answer.)*

1. Sont-ils faibles? Non. Alors? Comment sont-ils?
2. Sont-ils blonds? Non. Alors? Comment sont-ils?
3. Sont-ils petits? Non. Alors? Comment sont-ils?

Exercice 5 Une conversation
Conversez d'après le modèle. *(Converse according to the model.)*

Sont-ils faibles?
Qui? Jean-Claude et Paul? Mais non.
  Pas du tout. Au contraire.

Alors? Comment sont-ils?
Ils sont très forts.

1. Sont-ils faibles?
2. Sont-ils petits?
3. Sont-ils blonds?
4. Sont-ils tristes?

Structure

Les noms et les pronoms au pluriel

Most nouns in French are made plural by adding an **-s** to the singular form. The **-s** is not pronounced. Look at the following words.

Singular	Plural
le garçon	les garçons
la fille	les filles
l'ami	les amis
l'amie	les amies

The plural form of the definite articles **le, la,** and **l'** is **les.** The final **-s** of **les** is pronounced /z/ when followed by a vowel. This is another example of liaison.

A pronoun is a word that replaces a noun.

	Noun	Subject pronoun
Masculine singular	Jean le garçon le lycée	il
Feminine singular	Marie-France la fille l'école	elle
Masculine plural	Paul et Jean-Claude les garçons les lycées	ils
Feminine plural	Thérèse et Marie-France les filles les écoles	elles

When both a masculine and a feminine noun are the subject, **ils** is used as the subject pronoun.

> **Paul et Marie-France sont élèves.**
> **Ils sont amis.**

When speaking about more than one person, the plural form of the verb **être** is used: **ils sont** or **elles sont**.

> **Les deux garçons sont copains.**
> **Ils sont copains.**
>
> **Marie-France et Thérèse sont copines.**
> **Elles sont copines.**

In the inverted question (interrogative) form, liaison is made and the **t** is pronounced.

> **Sont-ils copains?**
> **Sont-elles copines?**

Exercice 1 Comment sont-ils?
Complétez avec l'article défini. *(Complete with the definite article.)*

1. _____ deux frères de Louis sont blonds.
2. Mais au contraire, _____ deux sœurs de Louis sont brunes.
3. _____ copains de Louis sont très enthousiastes pour _____ sports. Ils sont sportifs.
4. _____ deux garçons ne sont pas du tout faibles. Au contraire, ils sont forts.

Exercice 2 Deux filles et deux garçons
Complétez. *(Complete.)*

1. Marie-France et Thérèse sont _____ .
2. _____ deux filles sont françaises.
3. _____ sont élèves dans un lycée.
4. Les deux copines _____ très enthousiastes pour les sports.
5. _____ sont très fortes et elles _____ intelligentes aussi.
6. Alain et Robert ne _____ pas français. _____ sont américains.
7. Les deux _____ sont élèves dans une école secondaire américaine.
8. _____ sont très enthousiastes pour les sports.
9. Les deux copains _____ grands, forts et intelligents.

L'accord des adjectifs au pluriel

Study the following sentences.

> **Les deux filles sont américaines.**
> **Les garçons aussi sont américains.**
> **Les deux filles sont très sympathiques.**
> **Les garçons aussi sont très sympathiques.**

To form the plural of most French adjectives, an **-s** is added to the masculine or feminine singular form. This **-s** is not pronounced.

Note that if an adjective already ends in **-s,** such as **français,** no additional **-s** is added for the masculine plural.

> **Les deux garçons français sont très enthousiastes pour les sports.**

If an adjective modifies both a feminine and a masculine noun, the adjective is in the masculine plural.

> **Alain et Nathalie sont américains.**

Exercice 3 Deux copines et deux copains
Complétez. *(Complete.)*

1. Les deux copines sont _____ . **français**
2. Elles sont très _____ pour les sports. **enthousiaste**
3. Elles sont très _____ et elles sont aussi très _____ . **intelligent, sympathique**
4. Voilà Paul et Robert. Les deux copains ne sont pas _____ . Ils sont _____ . **français, américain**
5. Ils sont élèves dans une école secondaire américaine. Les deux garçons sont très _____ . **intelligent**
6. Ils sont aussi très _____ . **fort**
7. Les deux garçons sont très _____ pour les sports. **enthousiaste**
8. Ils sont très _____ . C'est l'essentiel! **sincère**

Exercice 4 Comment sont les filles?
Décrivez les deux filles. *(Describe the two girls.)*

1. _____
2. _____
3. _____
4. _____

Exercice 5 Comment sont les garçons?
Décrivez les deux garçons. *(Describe the two boys.)*

1. _____
2. _____
3. _____
4. _____

Prononciation   Les sons *an, on, un*

Nasal vowels do not exist in English. They are formed by letting air go out through the mouth and the nose at the same time.

an	on	un
France	bonjour	un
étudiant	blond	brun
dans	garçon	lundi
grand	montre	

Pratique et dictée

L'étudiant est grand.	Bonjour, Chantal.
Il est en France.	Il est brun.
Le garçon est blond.	C'est lundi.

Lecture culturelle

Deux filles françaises

Marie-France et Thérèse sont deux filles françaises. Elles sont élèves dans un lycée à Paris. Les deux copines sont très intelligentes. Sont-elles faibles? Non, pas du tout. Au contraire! Elles sont sportives. Les deux filles sont très enthousiastes pour les sports. Elles sont aussi très sympathiques et sincères. C'est l'essentiel!

Marie-France n'est pas maintenant à Paris. Où° est-elle alors? Elle est en vacances. Où ça? À Nice. C'est très chouette, n'est-ce pas?

ZONE RÉSERVÉE
AUX BAIGNEURS

°**Où** *Where*

Exercice 1   Complétez. *(Complete.)*

1. Les deux copines ne sont pas américaines. Elles sont _____ .
2. Comment sont-elles? Elles sont _____ et _____ . Et elles sont aussi _____ et _____ . Et c'est l'essentiel.

Exercice 2   Répondez. *(Answer.)*

1. Le lycée de Marie-France et Thérèse n'est pas à Chicago. Où est-il?
2. Marie-France n'est pas à Paris. Où est-elle?
3. Où est-elle en vacances?

Activités

1 Rewrite the story from the **Lecture.** Change **Marie-France et Thérèse** to **Jean-Claude et Gilbert.**

2 Tell all you can about the people in the illustration below.

galerie vivante

Jean-Paul et Richard sont de Cannes. Ils sont copains. Les deux garçons sont sportifs, n'est-ce pas?

Voici le lycée Henri IV à Paris. Les élèves sont dans la cour.

Voici Gilbert et Carole. Les deux élèves sont amis. Sont-ils français? Non, ils ne sont pas français. Ils sont américains.

Gérard est très enthousiaste pour les sports. Il est en vacances près de Marseille. Est-ce que Gérard est faible?

Les copains ne sont pas en classe. Ils sont à Nice. C'est chouette! Sont-ils en vacances?

4 Nous sommes américains

Nous sommes américains.
Nous sommes dans **la classe de français.**
Nous sommes très forts **en** français.
Pourquoi pas? Nous sommes très
  intelligents.
Et **de plus,** le français c'est **assez facile.**
Ce n'est **pas du tout difficile.**

Note

    You have already seen that many words in French and English look very much alike. For this reason it is easy to guess their meanings. Such words, you remember, are called cognates.

    To guess the meaning of certain cognates, we must stretch our imaginations a little. As an example, let's look at the French word **facile.** This word also exists in English, but its usage is not very common. Do you happen to know the meaning of the English word *facile*? If you do not, this English word would not assist you in guessing the meaning of the French **facile.** A more commonly used word that is related to *facile* is *facilitate*. To facilitate means *to make easy*. The French word **facile** means *easy*. Its opposite is **difficile.** What does **difficile** mean?

Exercice 1 Comment sont les élèves?

Répondez. *(Answer.)*

1. Est-ce que les élèves sont américains?
2. Sont-ils intelligents?
3. Sont-ils forts en français?
4. Est-ce que le français est facile ou difficile?

Expressions utiles

When French speakers wish to express disbelief of what they have just heard, they may say:

Sans blague!
Ce n'est pas vrai.

In order to reinforce the truth of what has been said, the speaker may say:

C'est vrai.
Incroyable mais vrai.

To disagree with a negative statement, French speakers say: **Mais si.**

Ce n'est pas vrai.
Mais si. C'est vrai.

Exercice 2 Personnellement

Complete about a friend and yourself.

Je suis _____ . *(your name)*
Je suis un(e) ami(e) de _____ . *(your friend's name)*
Nous sommes élèves dans la classe de _____ . *(your teacher's name)*
Nous sommes très forts en _____ . *(subject)*
C'est vrai. Incroyable mais vrai.
Mais pourquoi pas? Nous sommes _____ . *(smart)*
Et _____ *(subject),* ce n'est pas très _____ . C'est assez _____ .

Exercice 3 Sans blague!

Conversez d'après le modèle. *(Converse according to the model.)*

Tu es dans la classe de français? Sans
   blague! Ce n'est pas vrai.
Mais si. C'est vrai. Incroyable mais vrai.

1. Tu es dans la classe de français? Sans blague! Ce n'est pas vrai.
2. Tu es fort en français? Sans blague! Ce n'est pas vrai.
3. Tu es dans la classe de _____? Sans blague! Ce n'est pas vrai.
4. Le français est facile? Sans blague! Ce n'est pas vrai.

Structure

Le verbe *être* au présent

You have already learned the singular forms of the verb **être.** Study the plural forms of **être.**

Infinitive		être	
Singular	je suis tu es il est elle est	**Plural**	nous sommes vous êtes ils sont elles sont

Remember to make a liaison when you say **vous êtes.** The **s** in **vous** is pronounced /z/.

Exercice 1 Dans la classe de français

Pratiquez la conversation. *(Practice the conversation.)*

Nicole   Richard et Anne, où êtes-vous?

Anne   Où nous sommes? Ici, dans la classe de français.

Nicole   Vous êtes dans la classe de français? Sans blague!

Richard   Mais bien sûr. Et nous sommes très forts en français.

Exercice 2 Personnellement

Répondez avec *nous sommes*. *(Answer with **nous sommes**.)*

1. Vous êtes élèves?
2. Vous êtes américains?
3. Vous êtes dans la classe de français?
4. Vous êtes forts en français?
5. Vous êtes intelligents?
6. Vous êtes élèves dans une école américaine?
7. Vous êtes dans la classe de Mme (Mlle, M.) _____?

Exercice 3 Des questions

Posez des questions d'après le modèle.
(Ask questions according to the model.)

Paul et Marie / américains
Paul et Marie, êtes-vous américains?

1. Paul et Marie / américains
2. Paul et Marie / dans la classe de Mme
   (Mlle, M.) _____
3. Paul et Marie / dans la classe de français
4. Paul et Marie / forts en français

Exercice 4 Êtes-vous blonds?

Pick out several friends in class. Ask them questions about themselves using the following words and have them respond.

1. blonds
2. bruns
3. américains
4. français
5. enthousiastes pour les sports
6. élèves
7. contents
8. assez forts en français
9. dans la classe de français

Exercice 5 Je suis un(e) ami(e) de Jean.

Complétez avec *être*. *(Complete with **être**.)*

1. Je _____ un(e) ami(e) de Jean.
2. Il _____ très sympathique.
3. Nous _____ très enthousiastes pour les sports.
4. Nous _____ élèves dans une école secondaire.
5. Nous ne _____ pas français.
6. Nous _____ américains.
7. _____-vous américains aussi?
8. _____-vous forts en français?
9. Les élèves _____ dans la classe de français.
10. Ils _____ très intelligents.
11. Ils _____ très forts en français.

Tu et *vous*

In French there are two ways to say *you*. **Tu** is used only when addressing someone you know very well. You would use **tu** with a close friend, a classmate, a family member, or a child. For this reason **tu** is called the familiar form.

Vous is used whenever you address more than one person. **Vous** is also used to address any person whom you do not know well enough to address using the **tu** form. For this reason it is called the formal form of address.

> **Madame Gaudin, êtes-vous française?**
> **Monsieur Smith, êtes-vous américain?**
> **Marie-France, es-tu française?**
> **Barbara, es-tu américaine?**

Exercice 6   Sont-ils français?

*Look at the following pictures. Ask each person if he or she is French. Use **tu** or **vous** as appropriate.*

1.

2.

3.

Prononciation

Les sons *in/ain* et *en/em*

These two sounds are also nasal.

in/ain		**en/em**	
cinq	intelligent	en	essentiel
vingt	américain	content	intelligent
Gaudin	certain	Henri	novembre
sincère		vendredi	

Pratique et dictée

Laurent Gaudin est sincère et intelligent.
Il y a vingt Américains.
Il est certain.

Henri est content en novembre.
C'est l'essentiel.
C'est aujourd'hui vendredi.

4.

5.

6.

ℒecture culturelle

Une lettre de Gilbert

Nice, le 15 août 19

Chers amis,

Je suis Gilbert Dumas. Je suis français et je suis de Paris. Maintenant je suis à Nice avec la famille de Roger Goldfarb. Roger et moi, nous sommes copains. Nous sommes élèves dans un lycée à Paris. Nous sommes très forts en français et en anglais. L'anglais n'est pas très difficile. Maintenant nous ne sommes pas à Paris. Nous sommes en vacances à Nice. Les vacances sont toujours formidables. Pas vrai?

Bien affectueusement,
Gilbert

Exercice Répondez. *(Answer.)*

1. De qui est la lettre?
2. Est-ce que Gilbert est américain?
3. D'où est-il?
4. Où est-il maintenant?
5. Avec qui est-il?
6. Qui est le copain de Gilbert?
7. Sont-ils élèves?
8. Où sont-ils élèves?
9. Où sont-ils en vacances?
10. Comment sont les vacances?
11. Êtes-vous d'accord?

---

*Chers *Dear*   *moi *I*   *anglais *English*   *toujours *always*
*Bien affectueusement *Affectionately*

56

Activités

1 Write a postcard to Gilbert. Tell him all you can about yourself and one of your best friends.

2 Say all you can about the illustration.

galerie vivante

Nous sommes élèves dans un lycée à Paris.
Maintenant nous sommes dans la classe d'anglais.
Nous sommes très forts en anglais. Êtes-vous dans
la classe de français?

Nous sommes élèves au lycée
Jeanne d'Arc à Rouen. Maintenant
nous sommes dans la classe de
chimie. La chimie est assez difficile.
Êtes-vous très forts en sciences?

Une classe de géographie dans une école
rurale à Saint-Pierre-et-Miquelon

Une classe d'espagnol au
lycée Montaigne à Paris

Nous sommes élèves au
lycée Henri IV à Paris. Le
lycée Henri IV est une école
excellente. Les élèves sont
très intelligents. Vous aussi,
vous êtes très intelligents,
n'est-ce pas?

Dans la bibliothèque du lycée Jeanne
d'Arc à Rouen

Une fille française

Bonjour, tout le monde! Je suis Monique Lavalle. Je suis française. Je suis de Paris. Je suis une amie de Charles Lecoté. Charles est français aussi mais il n'est pas de Paris. Il est de Lyon.

Charles est un ami très sincère. Il est aussi très sympa. Charles et moi, nous sommes très sportifs. Nous sommes très enthousiastes pour les sports.

Charles est élève dans un lycée à Lyon. Moi, je suis élève dans un lycée à Paris. Charles et moi, nous sommes assez forts en anglais. Mais, pourquoi pas? L'anglais n'est pas très difficile et nous sommes assez intelligents.

Exercice 1 Répondez. *(Answer.)*

1. D'où est Monique Lavalle?
2. Est-elle américaine?
3. Qui est l'ami de Monique?
4. Est-il de Paris?
5. D'où est-il?
6. Comment est-il?
7. Charles et Monique sont très sportifs?
8. Qui est élève dans un lycée à Lyon?
9. Et Monique, où est-elle élève?
10. Monique et Charles, sont-ils forts en anglais?
11. L'anglais est facile ou difficile?
12. Est-ce que Monique et Charles sont intelligents?

Le verbe *être*

Review the following forms of the irregular verb **être.**

Infinitive		être	
Present tense	je suis		nous sommes
	tu es		vous êtes
	il/elle est		ils/elles sont

Exercice 2 Tu es Monique?
Complétez la conversation. *(Complete the conversation.)*

— Pardon, tu _____ Monique Lavalle, n'est-ce pas?
— Oui, je _____ Monique. Et tu _____ Robert, n'est-ce pas? Tu _____ l'ami américain de Claudine?
— Oui, je _____ l'ami de Claudine. Elle _____ très sympa.
— Ah, oui. Je _____ d'accord.

Exercice 3 Monique et Charles
Complétez. *(Complete.)*

1. Monique Lavalle _____ de Paris. Elle _____ française.
2. Charles Lecoté n'_____ pas de Paris mais il _____ français aussi. Il _____ de Lyon.
3. Charles et Monique _____ amis. Ils _____ très enthousiastes pour les sports.
4. — Monique et Charles, _____-vous très forts en anglais?
5. — Mais, bien sûr! Nous _____ très forts en anglais. Mais l'anglais n'_____ pas très difficile et nous _____ aussi assez intelligents.

Les adjectifs

Adjectives must agree with the noun they describe or modify. Most adjectives that end in a consonant have four written forms. Observe the following.

	Masculine	Feminine
Singular	Le garçon est **blond.**	La fille est **blonde.**
Plural	Les garçons sont **blonds.**	Les filles sont **blondes.**

Review the following adjectives that have four written forms.

américain	**intéressant**
brun	**content**
grand	**fort**
petit	**blond**
intelligent	

Adjectives that end in **-e** have only two written forms, singular and plural. Observe the following.

	Masculine	Feminine
Singular	Charles est un ami **sincère.**	Monique est une amie **sincère.**
Plural	Charles et René sont **sincères.**	Monique et Marie sont **sincères.**

Review the following adjectives that have two written forms.

triste	**faible**
fantastique	**enthousiaste**
magnifique	**difficile**
sincère	**facile**
sympathique	

Exercice 4 Comment sont-ils?

Choose adjectives to describe the following people. Use as many as you can.

1. Voilà Monique. Elle est...

3. Voilà Paul et Alain. Ils sont...

2. Voilà René. Il est...

4. Voilà Monique et Thérèse. Elles sont...

5 Une surprise-partie

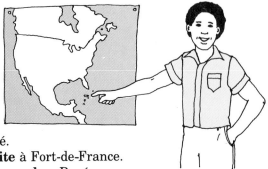

Voilà René.
René **habite** à Fort-de-France.
Nous sommes **chez** René.

René **donne une fête.**
Il donne **une surprise-partie.**
Il donne une surprise-partie pour
l'anniversaire de Monique.
Les amis **dansent.**
Ils **aiment** les surprises-parties.

Activités pendant la fête

parler

**regarder la télé
(la télévision)**

**chanter
une chanson**

**préparer
une salade**

**écouter un disque
de jazz**

Exercice 1 René donne une fête.
Répondez. *(Answer.)*

1. Est-ce que René habite à Fort-de-France?
2. Est-ce que René donne une fête?
3. Donne-t-il une surprise-partie?
4. Est-ce que les amis dansent pendant la fête?
5. Est-ce qu'ils parlent français ou anglais?
6. Regardent-ils la télé?
7. Est-ce qu'ils écoutent un disque?
8. Est-ce qu'ils chantent?
9. Est-ce qu'ils aiment les surprises-parties?

64

Exercice 2   La fête de René

Répondez aux questions.   *(Answer the "what" questions.)*

1. Qu'est-ce que René donne?
2. Qu'est-ce que les amis regardent?
3. Qu'est-ce que les amis chantent?
4. Qu'est-ce que les amis préparent?
5. Qu'est-ce que les amis écoutent?
6. Qu'est-ce que les amis aiment?

Structure

Les verbes réguliers en *-er* au présent

As you know, a verb is a word that describes an action or a state of being. **Être** (*to be*) and **parler** (*to speak*) are verbs. **Être** is an irregular verb because its forms are different from all other verbs. **Parler** is a regular verb. It takes the same endings as all other regular verbs that end in **-er.** These regular verbs are called **-er** verbs because the infinitive (**parler,** *to speak;* **chanter,** *to sing*) ends in **-er.** Study the present tense forms of **parler** and **chanter.** You will notice that the endings are added to the stem, which is found by dropping **-er** from the infinitive.

Infinitive	**parler**	**chanter**	ENDINGS
Stem	parl-	chant-	
Present tense	je parle	je chante	-e
	tu parles	tu chantes	-es
	il parle	il chante	-e
	elle parle	elle chante	-e
	nous parlons	nous chantons	-ons
	vous parlez	vous chantez	-ez
	ils parlent	ils chantent	-ent
	elles parlent	elles chantent	-ent

Notice that in spoken French, the **je, tu, il/elle,** and **ils/elles** forms of **-er** verbs all sound the same even though they are spelled differently.

When a verb begins with a vowel or a silent **h, je** is shortened to **j'**. In the plural forms, liaison is made in the **nous, vous, ils,** and **elles** forms.

Infinitive	aimer	habiter
Present tense	j'aime	j'habite
	tu aimes	tu habites
	il/elle aime	il/elle habite
	nous aimons	nous habitons
	vous aimez	vous habitez
	ils/elles aiment	ils/elles habitent

In the negative form, **ne** is shortened to **n'** before a vowel or a silent **h**.

Il n'aime pas le jazz.
Ils n'écoutent pas la musique.
Je n'habite pas à Paris.

In the inverted question or interrogative form of all **-er** verbs, a **-t-** is inserted with **il** and **elle.**

Parle-t-il?	Parle-t-elle?		Parles-tu?
Chante-t-il?	Chante-t-elle?	BUT:	Chantent-ils?
Écoute-t-il?	Écoute-t-elle?		Écoutez-vous?

Note

As you continue with your study of French, you will be amazed at how many cognates you encounter. Here are some more **-er** verbs, for example, whose meaning you can easily guess.

danser	réserver	adorer
préparer	désirer	arriver
téléphoner	détester	inviter

Exercice 1 Marie et Paul aussi!
Suivez le modèle. *(Follow the model.)*

Gilbert danse.
Marie et Paul dansent aussi.

1. Gilbert habite à Fort-de-France.
2. Gilbert parle français.
3. Gilbert chante bien.
4. Gilbert regarde la télé.
5. Gilbert écoute un disque de jazz.

Exercice 2 Dans la cuisine

Pratiquez la conversation. *(Practice the conversation.)*

Hélène René, tu es dans la cuisine?
René Oui.
Hélène Qu'est-ce que tu prépares?
René Je prépare les sandwiches pour la fête..
Hélène Tu prépares une salade aussi?
René Oui.
Hélène Ah, bien. J'aime beaucoup la salade.

Exercice 3 Tu danses?

Répondez avec *je*. *(Answer with je.)*

1. Tu danses?
2. Tu chantes?
3. Tu regardes la télé?
4. Tu parles avec les copains?
5. Tu arrives chez un ami?

Exercice 4 Des questions

Posez une question avec *tu*. *(Ask a question with tu.)*

1.

2.

3.

4.

5.

Exercice 5 Et vous?

Posez des questions d'après le modèle. *(Ask questions according to the model.)*

Nous regardons la télévision.
Et vous? Qu'est-ce que vous regardez?

1. Nous regardons la télévision.
2. Nous préparons les sandwiches.
3. Nous donnons une fête.
4. Nous aimons la salade.
5. Nous écoutons la musique.

Exercice 6 Vous donnez une fête?

Répondez avec *nous*. *(Answer with **nous**.)*

1. Vous donnez une surprise-partie pour l'anniversaire d'un ami?
2. Pendant la surprise-partie, vous dansez?
3. Vous chantez aussi?
4. Vous parlez avec les copains?
5. Vous regardez la télévision?
6. Vous écoutez un disque de jazz?
7. Vous aimez le jazz?

Exercice 7 Tu aimes danser?

Répondez d'après le modèle. *(Answer according to the model.)*

Tu aimes danser?
Mais bien sûr. J'aime beaucoup danser.

1. Tu aimes danser?
2. Tu aimes chanter?
3. Tu aimes parler au téléphone?
4. Tu aimes regarder la télé?
5. Tu aimes écouter la radio?

Exercice 8 Mais non!

Répondez d'après le modèle. *(Answer according to the model.)*

Tu aimes danser?
*Mais non! Pas du tout! Au contraire! Je
   déteste danser.*

1. Tu aimes danser?
2. Tu aimes chanter?
3. Tu aimes parler au téléphone?
4. Tu aimes regarder la télé?
5. Tu aimes écouter le jazz?

Exercice 9   Une surprise-partie

Complétez. *(Complete.)*

1. René _____ une surprise-partie.   **donner**
2. Il _____ une surprise-partie pour l'anniversaire de Monique.   **donner**
3. Les amis _____ chez René.   **arriver**
4. Pendant la fête, nous _____ .   **danser**
5. Nous _____ avec les amis.   **parler**
6. Moi, j'_____ beaucoup les fêtes.   **aimer**
7. Pendant la fête, nous ne _____ pas la télévision.   **regarder**
8. Est-ce que tu _____ les fêtes?   **aimer**
9. Qui _____-tu à la fête?   **inviter**
10. Qu'est-ce que vous _____ pour la fête?   **préparer**

Exercice 10   Il ne parle pas anglais.

Écrivez les phrases à la forme négative. *(Write the sentences in the negative.)*

1. Jean-Paul parle anglais.
2. Il habite à New York.
3. Les amis aiment le jazz.
4. Je parle italien.
5. J'habite à Rome.
6. Nous parlons anglais dans la classe de français.

Exercice 11   Des questions

Formez des questions. *(Form questions.)*

1. Vous parlez français.
2. Elle donne une fête.
3. Il prépare les sandwiches.
4. Ils chantent très bien.
5. Elle aime la salade.
6. Tu écoutes la radio.

L'impératif

The command form of the verb is called the imperative. The command form for **tu** of **-er** verbs is exactly the same as the **il/elle** form of the verb. In the command the subject pronoun is omitted. Observe the following.

Danse!	*Dance!*
Chante!	*Sing!*
Parle!	*Speak!*

The command forms for **nous** and **vous** are exactly the same as the conjugated form of the verb. The subject pronoun is not used with the command.

Dansons!	*Let's dance!*
Écoutons!	*Let's listen!*
Regardez!	*Look!*
Écoutez!	*Listen!*

Exercice 12 Dites.

Dites à un(e) ami(e) de... *(Tell a friend to . . .)*

1. Dites à un(e) ami(e) de chanter.
2. Dites à un(e) ami(e) de regarder.
3. Dites à un(e) ami(e) d'écouter.
4. Dites à un(e) ami(e) de parler français.

Exercice 13 Dites à deux ami(e)s...

Répétez les impératifs de l'exercice 12 au pluriel (vous). *(Repeat the commands from exercise 12 in the **vous** form.)*

Exercice 14 Dansons!

Suivez le modèle. *(Follow the model.)*

Tu aimes danser?
Oui, j'adore danser. Dansons alors!

1. Tu aimes danser?
2. Tu aimes regarder la télé?
3. Tu aimes écouter la radio?
4. Tu aimes chanter?

Prononciation   La lettre *r*

To pronounce a French **r,** allow air to pass through the small opening at the back of the mouth, between the back of the tongue and the back of the roof of the mouth.

Initial position	Middle position	Final position
revoir	Marie	bonjour
répondez	garçon	revoir
Roger	Henri	hiver
René	mardi	accord
répétez	aujourd'hui	sincère
	Paris	Gilbert

Pratique et dictée

Roger, répondez à René!
René, voilà le restaurant.
Marie et Henri admirent le garçon.
Aujourd'hui, c'est Paris!
Bonjour, Gilbert, et au revoir!
D'accord! Elle est très sincère!

Expressions utiles

There are several very useful expressions that French speakers use to express their emotions or feelings about something. When French-speaking people think that something is really great, they will say:

C'est fantastique!
C'est merveilleux!
C'est formidable!

On the contrary, when they think something is a shame or too bad, they will say:

Dommage!
C'est dommage!
C'est dommage ça!

Conversation

Une surprise-partie

Chantal   Dis donc, Ginette! Tu invites Roger à la surprise-partie?

Ginette   Non. Je n'invite pas Roger.

Chantal   Pourquoi pas? Il est très sympa.

Ginette   Oui, c'est vrai. Je suis d'accord. Mais il n'aime pas danser.

Chantal   Oh là là! Roger ne danse pas?

Ginette   Non. Il ne danse pas du tout. Il déteste danser.

Chantal   C'est dommage ça.

Exercice Vrai ou faux?

Corrigez les phrases fausses. *(Correct the false statements.)*

1. Ginette invite Roger à la surprise-partie.
2. Roger n'est pas sympathique.
3. Roger danse avec Ginette.
4. Roger aime danser.
5. Ginette déteste danser.

Le temps

Le temps en été ou dans une île tropicale:

le soleil

le ciel

Oh là là! Il fait chaud.

la mer

Il fait beau.
Le soleil brille.
Le soleil brille très fort dans le ciel.

ℚecture culturelle

Un garçon martiniquais

René habite à la Martinique. Il habite à Fort-de-France, ville* principale de la Martinique. Il parle français. René est martiniquais et il parle français? Bien sûr! Les Martiniquais parlent français. La Martinique est une île française dans la mer des Caraïbes. La Martinique est une île tropicale. Il fait toujours chaud à la Martinique. Le soleil brille très fort. C'est toujours l'été à la Martinique.

Exercice Répondez. *(Answer.)*

1. Où habite René?
2. Qu'est-ce qu'il parle?
3. Est-ce que les Martiniquais parlent français?
4. Est-ce que la Martinique est une île française?
5. Où est-elle?
6. Quel temps fait-il à la Martinique?

---

* **ville** *city*

Activités

INVITATION

Une surprise-partie
en l'honneur de...
Monique Fauchon
chez... René Le Clos
18 rue Ste-Anne
à ... Fort-de-France
le... 20 heures
2 octobre

R.S.V.P.

1 Qui donne une surprise-partie?
Pour qui donne-t-il la surprise-partie?
Où est la surprise-partie?
Où habite René?
À quelle heure est la surprise-partie?
Quelle est la date de la surprise-partie?

2 Interview a friend in class about
his/her after-school activities. Ask him/her
the following questions and have your friend
respond.

- Où habites-tu?
- Après (*After*) les classes, regardes-tu la télé?
- Écoutes-tu la radio?
- Parles-tu au téléphone avec un(e) ami(e)?
- Avec qui parles-tu?
- Est-ce que vous parlez français ou anglais?

3 Look at the illustration and say all
you can about it.

galerie vivante

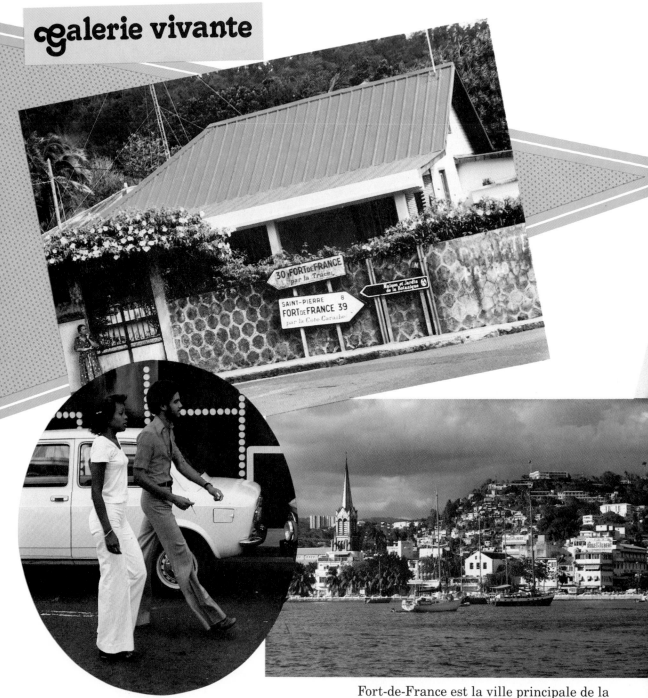

Voici Dominique et Philippe. Ils sont martiniquais. Dominique et Philippe habitent Fort-de-France. Sont-ils des amis de René Leclos?

Fort-de-France est la ville principale de la Martinique. Fort-de-France est une petite ville pittoresque. Est-ce que le soleil brille très fort à la Martinique? Quel temps fait-il toujours?

Télé Poche est un magazine qui annonce les programmes de télévision en France. À quelle heure est-ce que la troisième chaîne (FR3) présente le film *Cabaret* avec Liza Minelli?

TÉLÉ POCHE

es trucages "GUERRE TOILES"

Martine Thibaut habite Paris. Elle est à la maison. Est-ce qu'elle regarde la télé? Qu'est-ce qu'elle écoute?

6 Au restaurant

Jean **va en ville.**
Il va **au restaurant.**
Il ne va pas au restaurant **tout seul.**
Il va au restaurant **avec** Hélène.
Ils vont au restaurant **à pied.**
Ils vont **dîner.**

Exercice 1 Jean va en ville.
Répondez. *(Answer.)*

1. Est-ce que Jean va en ville?
2. Va-t-il au restaurant?
3. Va-t-il au restaurant tout seul?
4. Va-t-il au restaurant avec une copine?
5. Est-ce que les deux amis vont au restaurant à pied?
6. Vont-ils dîner au restaurant?

Exercice 2 Où va-t-il?
Répondez aux questions. *(Answer the following "where" questions.)*

1. Où va-t-il?
2. Où va-t-il en ville?
3. Où est-ce qu'Hélène va avec Jean?
4. Où vont-ils dîner?

Structure

Le verbe *aller* au présent

All verbs whose infinitives end in **-er** are regular verbs with only one exception. That exception is the verb **aller** (*to go*). The verb **aller** does not conform to a regular pattern—it is an irregular verb. Study the following forms.

Infinitive	aller	
Present tense	je vais	nous allons
	tu vas	vous allez
	il/elle va	il/elles vont

The command forms of the verb **aller** are:

Va!   **Allons!**   **Allez!**

Aller is used in expressions pertaining to health.

> ## La santé
>
> | | |
> |---|---|
> | **Comment vas-tu?** | *How are you?* |
> | **Très bien, merci. Et toi?** | *Very well, thank you. And you?* |
> | **Comment allez-vous?** | *How are you?* |
> | **Très bien, merci. Et vous?** | *Very well, thank you. And you?* |
> | **Je vais très bien.** | *I'm very well.* |
> | **Pas mal.** | *Not bad.* |
> | **Comme ci, comme ça.** | *So-so.* |

Exercice 1 Où vas-tu?
Pratiquez la conversation. *(Practice the conversation.)*

Ginette Jean, où vas-tu ce soir (*tonight*)?
Jean Je vais au restaurant.
Ginette Tout seul?
Jean Non, avec Hélène. Et après le dîner, nous allons au théâtre.
Ginette Ah, vous allez aussi au théâtre!

Exercice 2 Oui ou non
Répondez avec *Oui, je vais...* ou *Non, je ne vais pas...* *(Answer with **Oui, je vais...** or **Non, je ne vais pas...**)*

1. Vas-tu au restaurant?
2. Vas-tu au restaurant à pied?
3. Vas-tu au restaurant avec un(e) ami(e)?

4. Et après le dîner, vas-tu au théâtre ou au cinéma?

Exercice 3 Vas-tu au cinéma?

Ask a friend in class if he/she goes to the place in the illustration. Have your friend answer.

au cinéma
Vas-tu au cinéma?

1. au cinéma

2. au restaurant

5. à la fête de René

3. au lycée

6. à la classe de français

4. à l'école

7. à la maison

Exercice 4 Où allez-vous?

Répondez avec *nous allons*. *(Answer with **nous allons**.)*

1. Le lundi, allez-vous à l'école?
2. Allez-vous à la classe de français?
3. Allez-vous à la classe de mathématiques?
4. Après les classes, allez-vous à la maison?
5. Vendredi soir, allez-vous au restaurant?
6. Après le dîner, allez-vous au théâtre ou au cinéma?

Exercice 5 Des questions

Posez des questions d'après le modèle. *(Ask questions according to the model.)*

Nous allons au restaurant.
Et où allez-vous?

1. Nous allons au restaurant.
2. Nous allons au cinéma.
3. Nous allons à la maison.
4. Nous allons à la fête de René.
5. Nous allons à la classe de français.

Exercice 6 Je vais au restaurant.

Complétez avec la forme convenable du verbe *aller*. *(Complete with the correct form of the verb **aller**.)*

1. Ce soir je _____ au restaurant.
2. Je ne _____ pas seul au restaurant.
3. Je _____ au restaurant avec un ami.
4. Nous _____ dîner dans un restaurant en ville.
5. Et après le dîner, nous _____ au cinéma.
6. Et après le cinéma, nous _____ à la maison.

Exercice 7 Les amis vont en ville.

Complétez le paragraphe. *(Complete the paragraph.)*

Ce soir Jean et Hélène ne _____ pas dîner à la maison. Ils _____ au restaurant en ville. Ils _____ au restaurant à pied. Après le dîner, les deux amis _____ au cinéma.

Exercice 8 Allons au restaurant!

Complétez la conversation. *(Complete the conversation.)*

Patrick Ce soir je _____ dîner "Chez la Mère Michelle." Où _____-tu, Claude?
Claude Moi aussi, je _____ au restaurant. Gérard _____ au restaurant aussi.
Patrick _____-vous au restaurant, "Chez la Mère Michelle"?
Claude Pourquoi pas? _____ au même restaurant!
Patrick D'accord! Je _____ téléphoner pour réserver une table.

Les contractions *au, aux*

The preposition **à** can mean *to, in,* or *at.* It remains unchanged in front of the definite articles **la** and **l',** but it contracts with **le** to form the word **au** and with **les** to form the word **aux.** Study the following.

à + la = à la   **Je vais à la maison.**
à + l' = à l'   **Je vais à l'école.**
à + le = au   **Je vais au lycée.**
à + les = aux   **Je parle aux élèves.**

A liaison is made with **aux** and any word beginning with a vowel or silent **h.** When a liaison is made, the **x** is pronounced /z/.

Take note of the following expressions in which **à** is *not* used.

Je vais chez René.
Je vais en ville.
Je vais en classe.   BUT: **Je vais à la classe de français.**

Exercice 9   Je ne vais pas au lycée.
Complétez. Suivez le modèle. *(Complete. Follow the model.)*

(le lycée)   Aujourd'hui je ne vais pas _____ .
Aujourd'hui je ne vais pas au lycée.

1. (l'école)   Aujourd'hui je ne vais pas _____ .
2. (le restaurant)   Ce soir je ne vais pas _____ .
3. (le cinéma)   Je ne vais pas _____ .
4. (la fête)   Pourquoi pas? Je vais _____ de René.
5. (les amis)   Pendant la fête je vais parler _____ .
6. (la maison)   Après la fête je vais _____ .

Exercice 10   Je ne vais pas à la fête.
Complétez. *(Complete.)*

Ce soir je ne vais pas _____ (le concert), je ne vais pas _____ (le parc), je ne vais pas _____ (le lycée), je ne vais pas _____ (le restaurant), je ne vais pas _____ (le cinéma) et je ne vais pas _____ (la fête) de René. Alors, où est-ce que je vais aller? Je vais aller _____ (la maison).

Aller + l'infinitif

The following sentences tell what is going to happen in the near future.

René va donner une fête.
Il va inviter les amis.
Je vais aller à la fête.
Nous allons danser.

82

To express what is going to happen in the near future, you can use the verb **aller** plus an infinitive. This is equivalent to the English expression *to be going to*. Study the following sentences in the negative.

> **Je ne vais pas danser.**
> **Il ne va pas parler.**

Note that **ne** goes before the verb **aller**. **Pas** goes after **aller** and before the infinitive.

Exercice 11 Personnellement

Répondez avec *oui* ou *non*. (Answer with **oui** or **non**.)

1. Est-ce que tu vas regarder la télé?
2. Est-ce que tu vas parler avec un ami au téléphone?
3. Est-ce que tu vas dîner au restaurant?
4. Est-ce que tu vas préparer le dîner?
5. Est-ce que tu vas aller au cinéma?

Prononciation   La lettre *c*

The letter **c** is pronounced like a *k* when it is followed by a consonant or by the vowels **a, o,** or **u.** It is pronounced like an *s* when it is followed by **e, é,** or **i.** A cedilla (ç) is always pronounced like an *s.*

c = k	c = s	ç (cédille) = s
cassette	ce	ça
café	c'est	français
canadien	lycée	garçon
comment	France	commençons
copain	central	
contraire	centre	
cuisine	commencer	
Claude	ici	

Pratique et dictée

Comment va le copain?
Le lycée est français.
Nous commençons les vacances.
C'est la cassette de Claude.
Le café est en France.
Au contraire, il est canadien.

Expressions utiles

Dans un restaurant

commander un steak frites

le steak est:

à point

saignant

bien cuit

demander l'addition au garçon

laisser un pourboire

Conversation

Un dîner exquis

Jean va au restaurant avec une copine. Le garçon arrive à la table. Il donne un menu à Jean et il donne un autre à Hélène.

Jean	Tu vas commander, Hélène?
Hélène	Pas encore. Je vais regarder le menu un moment.
Jean	Moi, je vais commander un steak frites.
Hélène	Ah, c'est bien ça. Moi, j'aime beaucoup le steak saignant.
Jean	Oh là là! Pas moi! Au contraire! J'aime le steak bien cuit.
Le garçon	Bonsoir. Qu'est-ce que vous désirez?
Hélène	Un steak frites, s'il vous plaît. Et le steak saignant.
Jean	Pour moi un steak frites aussi. Mais le steak bien cuit, s'il vous plaît.
Le garçon	D'accord!

Après un dîner exquis, les deux copains demandent l'addition. Ils payent et ils laissent un pourboire pour le garçon. Le service est compris,° c'est vrai. Mais Jean et Hélène laissent un peu plus.° Pourquoi pas?

Exercice 1   Vrai ou faux?
Corrigez les phrases fausses. *(Correct the false statements.)*

1. Jean va tout seul au restaurant.
2. Il va dîner avec la famille à la maison.
3. Il va préparer le dîner.
4. Jean et Hélène commandent une salade.
5. Hélène aime le steak bien cuit.

Exercice 2   Au restaurant
Complétez d'après la conversation. *(Complete according to the conversation.)*

Jean va au _____ avec une _____, Hélène. Dans le restaurant le _____ arrive à la table. Il donne un _____ à Jean et il donne un autre à Hélène. Les deux amis regardent le _____ . Tous les deux commandent un steak frites. Hélène aime le steak _____ . Mais Jean? Pas du tout! Il aime le steak _____ . Après un dîner exquis, les deux copains demandent l'_____ . Le service est _____ mais ils laissent un peu _____ pour le garçon. Le _____ est content du _____, n'est-ce pas?

°**compris** *included*   °**un peu plus** *a little more*

ℒecture culturelle

Les restaurants français

La France est un pays* de restaurants. Les Français aiment beaucoup dîner au restaurant. Pour aller au restaurant, beaucoup de gens réservent une table à l'avance. Comme* les restaurants sont très populaires, ils sont presque* toujours pleins.* Et la cuisine est presque toujours exquise. La cuisine est très importante pour les Français.

Mais, attention!* Le dimanche beaucoup de restaurants sont fermés.* Pourquoi ça? Le dimanche les Français aiment dîner en famille.

Exercice Répondez. *(Answer.)*

1. Est-ce que les Français aiment dîner au restaurant?
2. Réservent-ils une table à l'avance?
3. Est-ce que la cuisine est importante pour les Français?
4. Quel jour est-ce que les restaurants sont fermés?
5. Où est-ce que les familles françaises dînent le dimanche?

***pays** *country* ***comme** *since* ***presque** *almost* ***pleins** *crowded*
***attention!** *take note! watch out!* ***fermés** *closed*

Activités

1 Voilà un restaurant à Paris.

- Est-il fermé?
- Quel jour est-ce?
- Est-ce que le restaurant est fermé le dimanche?
- Est-ce que beaucoup de restaurants français sont fermés le dimanche?
- Pourquoi ça?

2 Look at the illustration and tell all you can about it.

galerie vivante

C'est le café des Deux Magots à Paris. Le garçon arrive à la table. Monsieur Malherbe a un sandwich au fromage. Qui a une omelette?

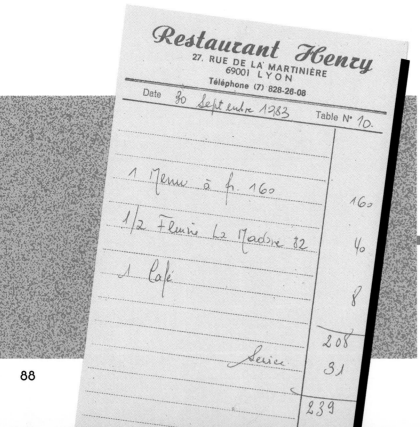

Où est le restaurant Henry? Combien coûte le dîner? Est-ce que le service est compris?

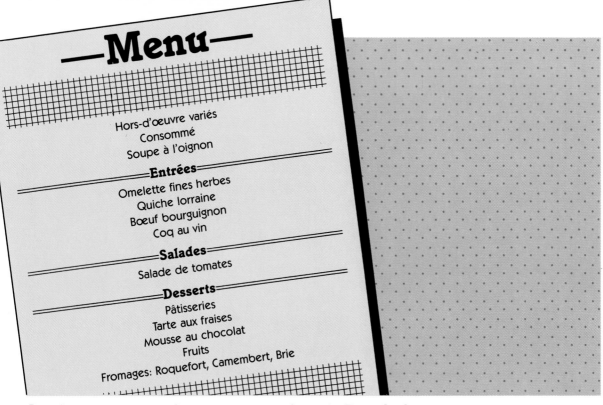

Menu

Hors-d'œuvre variés
Consommé
Soupe à l'oignon

Entrées
Omelette fines herbes
Quiche lorraine
Bœuf bourguignon
Coq au vin

Salades
Salade de tomates

Desserts
Pâtisseries
Tarte aux fraises
Mousse au chocolat
Fruits
Fromages: Roquefort, Camembert, Brie

Imaginez que vous êtes dans un restaurant français. Regardez le menu.
Qu'est-ce que vous désirez?

Après le dîner, allez-vous au
cinéma ou au théâtre?

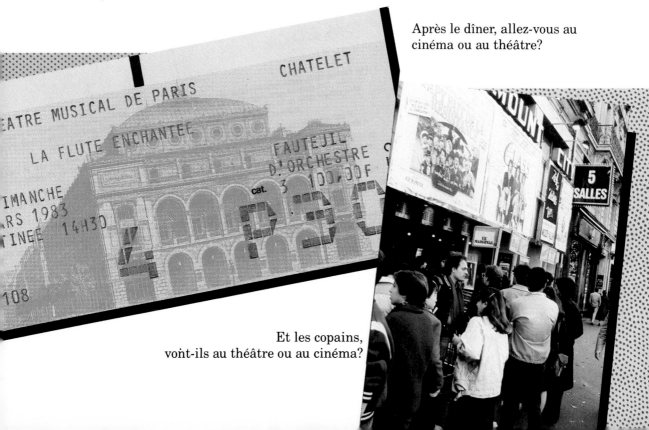

Et les copains,
vont-ils au théâtre ou au cinéma?

7 Une famille française

une famille

la mère　　la fille　le père　le fils

un chien

un chat

M. et Mme Dupont **ont** deux **enfants:** une fille et un fils.
La famille Dupont **a un appartement** à Paris.
Ils ont un chien.

90

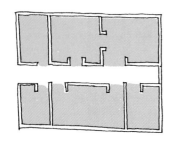

Il y a six **pièces** dans l'appartement.

Il y a quatre **personnes** dans la famille.

le quatrième étage

le troisième étage

le deuxième étage (L'appartement des Dupont est au **deuxième étage**.)

le premier étage

le rez-de-chaussée

Il y a dix appartements dans **l'immeuble**.

Exercice 1 La famille Dupont
Répondez. *(Answer.)*

1. Est-ce que la famille Dupont a un appartement à Paris?
2. Est-ce que Monsieur Dupont a deux enfants?
3. Est-ce que la famille Dupont a un chien?
4. Est-ce qu'ils ont un appartement dans un immeuble?
5. Est-ce qu'ils ont un appartement au deuxième étage?

Exercice 2 Combien?
Dites combien. *(Tell how many.)*

1. Combien de personnes est-ce qu'il y a dans la famille Dupont?
2. Combien d'enfants est-ce qu'il y a dans la famille?
3. Combien de pièces est-ce qu'il y a dans l'appartement?
4. Combien d'appartements est-ce qu'il y a dans l'immeuble?
5. Combien d'étages est-ce qu'il y a dans l'immeuble?

Exercice 3 Les Dupont
Complétez l'histoire. *(Complete the story.)*

Voici la famille Dupont. Dans la _____ Dupont il y a quatre _____ .
Monique est la _____ et Philippe est le _____ . Monique est la _____ de
Philippe et Philippe est le _____ de Monique.

La famille Dupont a un _____ à Paris. L'appartement est dans un _____ . Il
y a six _____ dans l'appartement. L'appartement n'est pas au rez-de-chaussée. Il
est au deuxième _____ .

Structure

Le verbe irrégulier *avoir* au présent

The verb **avoir**, like the verb **aller**, is an irregular verb because it follows a pattern of its own. Study the present tense forms. Note the /z/ sound (liaison) in the plural forms.

Infinitive	avoir	
Present tense	j'ai	nous avons
	tu as	vous avez
	il/elle a	ils/elles ont

Remember that a **-t-** must be inserted with **il/elle** in the inverted question or interrogative form.

> **A-t-il un chien?**
> **A-t-elle une sœur?**

The verb **avoir** is used to express age.

> ### L'âge
>
> — Quel âge avez-vous?   — Quel âge as-tu?
> — J'ai vingt-deux ans.   — J'ai seize ans.

Exercice 1   Les Dupont
Répondez.   *(Answer.)*

1. Est-ce que Madame Dupont a deux enfants?
2. Est-ce que Monique a un frère?
3. Est-ce que Philippe a une sœur?
4. Est-ce que Monsieur et Madame Dupont ont deux enfants?
5. Est-ce qu'ils ont une fille?
6. Est-ce qu'ils ont un appartement à Paris?
7. Est-ce qu'ils ont un chien?

Exercice 2   As-tu une sœur?
Pratiquez la conversation.   *(Practice the conversation.)*

Annie   Gilbert, as-tu une sœur?
Gilbert   Oui, j'ai une sœur et j'ai un frère aussi.
Annie   Est-ce que vous avez un chien?
Gilbert   Non, nous n'avons pas de chien. Nous avons un chat.

Exercice 3 As-tu un frère?
Répondez avec *J'ai.* *(Answer with **J'ai**.)*

1. As-tu un frère?
2. Combien de frères as-tu?
3. As-tu une sœur?
4. Combien de sœurs as-tu?
5. As-tu une cousine?
6. Combien de cousines as-tu?
7. As-tu un cousin?
8. Combien de cousins as-tu?

Exercice 4 Des questions
Posez une question à un ami avec *Est-ce que tu as.* *(Ask a question of a friend with **Est-ce que tu as**.)*

1. un frère
2. une sœur
3. un cousin
4. une cousine

5. un chien
6. un chat
7. un copain français

Exercice 5 Nous avons une maison.
Suivez le modèle. *(Follow the model.)*

Nous avons une maison à Nice.
Pardon? Qu'est-ce que vous avez?

1. Nous avons un appartement à Paris.
2. Nous avons une maison à Saint-Malo.

3. Nous avons un chien adorable.
4. Nous avons un chat adorable.

Exercice 6 Avez-vous un chien?
Répondez avec *Nous avons.* *(Answer with **Nous avons**.)*

1. Avez-vous un chien?
2. Avez-vous un chat?
3. Avez-vous un disque?

4. Avez-vous une maison ou un appartement?

Exercice 7 La famille Dejarnac
Complétez avec *avoir.* *(Complete with **avoir**.)*

Voici la famille Dejarnac. Ils _____ un appartement à Paris. Ils _____ aussi une maison à Nice. L'appartement _____ six pièces et la maison _____ six pièces aussi.

Dans la famille Dejarnac il y a quatre personnes: la mère, le père et deux enfants. Guillaume, le fils, _____ une sœur. Jacqueline, la fille, _____ un frère. Guillaume _____ seize ans et Jacqueline _____ dix-huit ans.

Quel âge _____-tu? Combien de frères et combien de sœurs _____-tu? _____-vous un chat? _____-vous un chien?

Moi, je suis Alexandre. J'_____ quinze ans. J'_____ deux sœurs et un frère. Nous _____ un chien adorable mais nous n'_____ pas de chat.

L'article indéfini au pluriel: affirmatif et négatif

The plural of the indefinite articles **un** and **une** is **des.** The plural of the indefinite article means *some* or *any* in English. Note the liaison with **des** before any noun beginning with a vowel or silent **h.**

Singular	Plural
J'ai un copain français.	J'ai des copains français. J'ai des amies.

In English the word *some* can sometimes be omitted. However, the French **des** is never omitted.

French	English
J'ai des amis français.	*I have French friends.* *I have some French friends.*

Un, une, or **des** become **de** when they follow a verb in the negative. **De** contracts to **d'** when the noun begins with a vowel or silent **h.**

J'ai une guitare.	**Je n'ai pas de guitare.**
J'ai un chien.	**Je n'ai pas de chien.**
Nous avons des disques.	**Nous n'avons pas de disques.**
Nous avons des amis français.	**Nous n'avons pas d'amis français.**

Exercice 8 Avez-vous un frère?
Répondez avec *Oui.* *(Answer with **Oui.**)*

1. Avez-vous un frère?
2. Avez-vous une sœur?
3. Avez-vous des cousins?
4. Avez-vous des copains?

Exercice 9 Je n'ai pas de chien.
Répondez avec *Non.* *(Answer with **Non.**)*

1. Avez-vous un chien?
2. Avez-vous un chat?
3. Avez-vous un appartement à Paris?
4. Avez-vous une maison à Nice?
5. Avez-vous des disques?
6. Avez-vous des cousins français?
7. Avez-vous des amis français?

Exercice 10 La famille de Robert

Choisissez. (*Choose.*)

1. J'ai _____ frère. **un, des**
2. Robert n'a pas _____ frères. **des, de**
3. Il a _____ sœurs. **des, une**
4. La famille de Robert a _____ appartement à Paris. **un, d'**

Exercice 11 Robert et moi

Complétez. (*Complete.*)

1. Robert a _____ disques mais moi, je n'ai pas _____ disques.
2. Robert a _____ copains français mais moi, je n'ai pas _____ copains français.
   Moi, j'ai _____ copains américains.
3. Robert a _____ sœurs mais moi, je n'ai pas _____ sœurs. J'ai _____ frères.

L'expression *il y a*

The expression **il y a** can mean either *there is* or *there are*. Therefore, **il y a** can be followed by either a singular or a plural noun.

Singular	Plural
Il y a un chien dans le parc.	Il y a deux chiens dans le parc.
Il y a une fille dans la famille.	Il y a deux filles dans la famille.

To form a question, **est-ce qu'** can be used with **il y a.**

Est-ce qu'il y a un chien dans le parc?

Il y a can also be inverted to form a question. A **-t-** must be inserted in the inverted form.

Y a-t-il un chien dans le parc?
Combien de personnes y a-t-il dans le parc?

The expression **combien de** (*how many, how much*) is often used with **est-ce qu'il y a** or **y a-t-il. Combien de** becomes **combien d'** before a noun that begins with a vowel or an **h.**

Combien de garçons est-ce qu'il y a dans la classe de français?
Combien de filles y a-t-il dans la classe de français?

Exercice 12 La famille Grandjean
Répondez d'après l'illustration. *(Answer according to the illustration.)*

1. Combien de personnes est-ce qu'il y a
   dans la famille?
   Combien d'enfants y a-t-il?
   Combien de fils y a-t-il?
   Combien de filles y a-t-il?

3. Combien d'appartements est-ce qu'il y
   a dans l'immeuble?

2. Combien de pièces y a-t-il dans
   l'appartement?

4. Combien d'étages est-ce qu'il y a
   dans l'immeuble?

Prononciation

Liaison avec *s*

Silent *s*   **s = z (liaison)**

les copains   les_amis
vous dansez   vous_êtes
les garçons   les_élèves
dans le lycée   dans_un lycée
ils donnent   ils_écoutent
nous chantons   nous_aimons

Accent et intonation

Voilà!
Voilà Marie!
Voilà Marie-Ange!
Voilà Marie-Ange et Suzanne Dupont!

Il parle.
Il parle français.
Il parle français avec Luc.
Il parle français avec Luc et Gilbert.

Dansez!
Dansez avec moi!
Dansez avec moi à la fête!
Dansez avec moi à la fête de Suzanne!

Conversation

Qui es-tu?

Complete the conversation. Use personal responses.

— Bonjour. Qui es-tu?

— _____

— Es-tu américain(e) ou français(e)?

— _____

— Où habites-tu?

— _____

— Quel âge as-tu?

— _____

— Combien de sœurs as-tu?

— _____

— Combien de frères as-tu?

— _____

— Avez-vous un appartement ou une
  maison?

— _____

— Avez-vous un chien?

— _____

— Avez-vous un chat?

— _____

qecture culturelle

La famille Dupont

Voilà la famille Dupont. Ils habitent
Paris. Comme* beaucoup de familles à
Paris, ils habitent un appartement. Ils ont
un appartement dans un immeuble dans
le septième arrondissement. Dans l'appartement il y a six pièces. L'appartement de
la famille Dupont n'est pas au rez-de-
chaussée. Il est au deuxième étage.

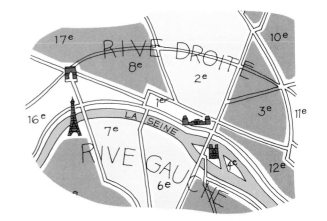

Dans la famille Dupont il y a quatre
personnes: la mère, le père, un fils et une
fille. Le fils est Philippe et la fille est
Monique. Monique a seize ans et Philippe
a dix-huit ans.

Ce soir* la famille Dupont ne va pas
dîner à la maison. Ils vont dîner dans un
restaurant du quartier.* Mais voilà Médor.
Médor est un chien. Va-t-il rester* à la
maison tout seul? Non, Médor aussi va au
restaurant avec la famille.

---

*__Comme__ *Like*   *__Ce soir__ *Tonight*   *__du quartier__ *neighborhood*   *__rester__ *to stay*

Exercice Choisissez. *(Choose.)*

1. La famille Dupont est _____ .
   - a. française
   - b. américaine
   - c. de Nice

2. Beaucoup de familles à Paris habitent _____ .
   - a. des lycées
   - b. des appartements
   - c. des maisons privées *(private)*

3. Dans l'appartement de la famille Dupont il y a _____ .
   - a. six pièces
   - b. six étages
   - c. six immeubles

4. L'appartement est _____ .
   - a. dans une maison
   - b. au deuxième étage
   - c. au rez-de-chaussée

5. Monsieur et Madame Dupont ont _____ .
   - a. deux chiens
   - b. un frère et une sœur
   - c. deux enfants

6. _____ de Monsieur et Madame Dupont est Monique.
   - a. La sœur
   - b. Le fils
   - c. La fille

7. Phillippe est _____ de Monique.
   - a. le fils
   - b. le chien
   - c. le frère

8. Ce soir la famille va dîner _____ .
   - a. à sept heures
   - b. dans un restaurant
   - c. à la maison

9. Médor va _____ .
   - a. rester à la maison
   - b. être tout seul
   - c. aller au restaurant avec la famille

Activités

1 **Vrai ou faux? Regardez le plan.**
(True or false? Look at the map.)

- Les quartiers de Paris sont des arrondissements.
- La Seine divise Paris en deux.
- Les quartiers de Paris au sud de la Seine sont sur la rive droite.
- Le septième arrondissement est sur la rive gauche.

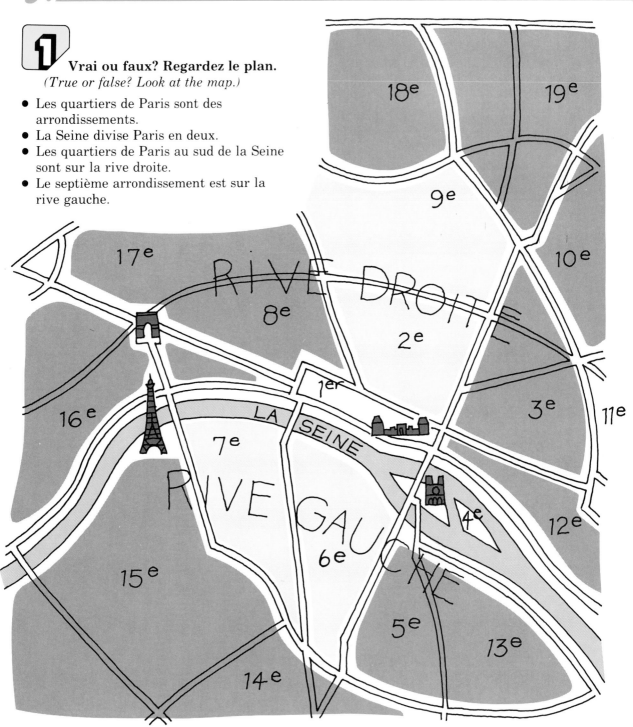

2 Start to write your autobiography. Keep your autobiography—for you will add to it as you continue your study of French. As a reminder, some of the things you can tell about yourself are: your name, your nationality, where you are from, your age, how many people there are in your family, a brief description of yourself, your school, the subjects you are good in, whether or not you like sports, some of your daily activities, whether or not you have a pet.

3 Look at the illustration. Say as much as you can about it.

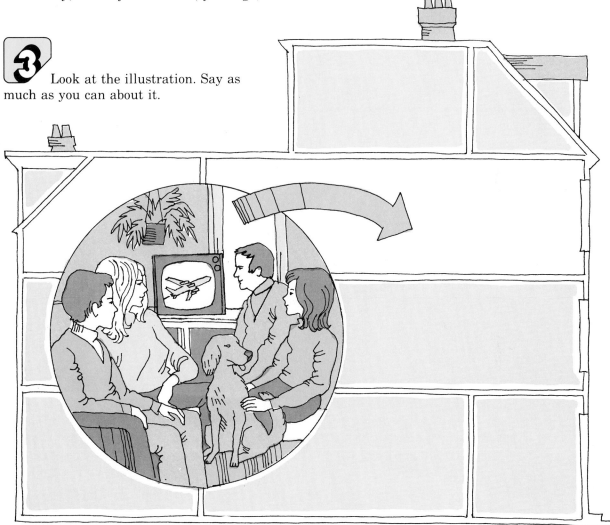

4 Look at the illustration again and make up as many questions as you can about it. Ask your questions of other members of the class to see if they can answer.

Leçon 7   101

galerie vivante

La famille Kerbirio n'habite pas la ville. Ils ont une maison à la campagne. Combien d'enfants est-ce qu'il y a dans la famille?

Voici des immeubles typiques du 18e arrondissement de Paris. Est-ce que l'immeuble à droite est grand?

Voici le modèle d'une petite maison individuelle. Combien d'étages a la maison?

Cette maison prête à finir pour 135.000F
Servitec

REZ-DE-CHAUSSEE

GARAGE
5,65 x 2,99

SEJOUR
6,65 x 4,70

SALLE
A MANGER

HALL
2,30 x 1,75

PORCHE
2,95 x 1,20

CUISINE
3,70 x 2,90

WC

ETAGE

CHAMBRE 1
4,70 x 2,85

BAINS
2,90 x 1,70

2,65 x 1,84

CHAMBRE 3
3,75 x 2,88

WC

CHAMBRE 2
3,25 x 2,90

Voici un immeuble près de Paris. Est-ce que c'est un immeuble résidentiel? Est-ce qu'il y a des appartements de quatre pièces dans l'immeuble?

Voici le plan d'une maison individuelle à Saint-Priest. Combien de pièces est-ce qu'il y a dans la maison? Combien de pièces est-ce qu'il y a au rez-de-chaussée? Combien de pièces est-ce qu'il y a au premier étage?

Leçon 7   103

8 On fait les courses

le boulanger

la vendeuse

le pain

la baguette

l'argent

Jacques est **chez** le boulanger.
Il **achète du** pain.
Il achète une baguette.
Il donne **de** l'argent à la vendeuse.

Jacques **fait les courses.**
Il fait les courses **le matin.**
Il ne fait pas les courses dans **un supermarché.**
Il fait les courses **au marché.**

Exercice 1   Jacques fait les courses.
Répondez. *(Answer.)*

1. Qui fait les courses?
2. Fait-il les courses le matin?
3. Fait-il les courses dans un supermarché?
4. Où fait-il les courses?

Exercice 2   Chez le boulanger
Complétez. *(Complete.)*

Jacques est chez le boulanger. Il achète du _____ . Il achète une _____. Il donne de l'_____ à la vendeuse. La vendeuse donne la _____ à Jacques.

Mme Leclerc fait les courses.
Qu'est-ce qu'elle achète et où?

Elle achète **du pain**  chez **le boulanger** ou **la boulangère.**

Elle achète **du lait**  chez **le crémier** ou **la crémière.**

Elle achète **de la viande**  chez **le boucher** ou **la bouchère.**

Elle achète **des gâteaux**  chez **le pâtissier** ou **la pâtissière.**

Elle achète **du poisson**  chez **le poissonnier** ou **la poissonnière.**

Elle achète **des fruits**  chez **la marchande de légumes.**

Elle achète **des légumes**  chez **le marchand de légumes.**

Exercice 3 Madame Leclerc fait les courses.
Qu'est-ce qu'elle achète?

1. Elle achète du _____ .

3. Elle achète du _____ .

5. Elle achète du _____ .

2. Elle achète de la _____ .

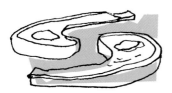

4. Elle achète des _____ .

Exercice 4 Madame Leclerc fait les courses.
Où va-t-elle?

1. Elle achète du lait. Elle va chez _____ _____ .

2. Elle achète des légumes. Elle va chez _____ _____ .

3. Elle achète des gâteaux. Elle va chez _____ _____ .

4. Elle achète du pain.
   Elle va chez _____ _____ .

5. Elle achète de la viande.
   Elle va chez _____ _____ .

Note

Pay special attention to the verb **acheter**. The **e** of the stem becomes **è** in the **je, tu, il/elle,** and **ils/elles** forms.

Infinitive	acheter	
Present tense	j'achète	nous achetons
	tu achètes	vous achetez
	il/elle achète	ils/elles achètent

Note the use of the preposition **chez** when referring to food stores. When one says **Je vais chez le boucher,** the meaning is *I am going to the butcher's.* The emphasis is on the person who owns the establishment. One can also use the preposition **à** and say **Je vais à la boucherie.** The meaning of this sentence is *I am going to the butcher shop,* and the emphasis is on the establishment rather than the proprietor. Here are the names of the various shops.

Les magasins

Un boulanger a une boulangerie.
Un crémier a une crémerie.
Un boucher a une boucherie.
Un pâtissier a une pâtisserie.
Un poissonnier a une poissonnerie.

Exercice Les magasins

Complétez. *(Complete.)*

1. Je vais à la _____ où j'_____ du pain.
2. Nous allons à la _____ où nous _____ de la viande.
3. Ils vont à la _____ où ils _____ des gâteaux.
4. Vous allez à la _____ où vous _____ du poisson.

Structure

Le verbe *faire* au présent

The verb **faire** is another irregular verb. Study the present tense forms.

Infinitive	faire	
Present tense	je fais tu fais il/elle fait	nous faisons vous faites ils/elles font

Faire is a very useful verb since it is used quite frequently in French. The literal meaning of the verb **faire** is *to do* or *to make*.

Je fais un sandwich.	*I'm making a sandwich.*
Qu'est-ce que vous faites?	*What are you doing?* or *What do you do?*

The verb **faire** is also used in many idiomatic expressions. An idiomatic expression is one that does not translate directly from one language to another. The expression **faire les courses** is an example. It is an idiomatic expression because in French the verb **faire** is used, whereas in English we would use the verb *to go*. **Faire les courses** means *to go shopping.*

Here are some other expressions that use the verb **faire.** You should be able to guess what they mean.

faire attention	**faire de la guitare**
faire du sport	**faire de la photographie**
faire du français (de l'anglais)	**faire un voyage**
faire du piano	

Exercice 1 Les garçons font les courses.

Pratiquez la conversation. *(Practice the conversation.)*

Luc Salut, Paul. Qu'est-ce que tu fais?
Paul Moi, je fais les courses.
Luc Nous aussi, nous faisons les courses.
Paul Vous faites les courses aussi au marché de la rue Cler?
Luc Bien sûr!
Paul Vous aimez faire les courses?
Luc Oui.
Paul Sans blague! Pas moi. Tout au contraire. Je déteste faire les courses.

Exercice 2 Les amis font les courses.

Répondez d'après la conversation de l'exercice 1. *(Answer according to the conversation of exercise 1.)*

1. Est-ce que Paul fait les courses?
2. Fait-il les courses au marché de la rue Cler?
3. Est-ce que les amis de Paul font les courses aussi?
4. Font-ils les courses au même marché?

Exercice 3 Personnellement
Répondez. *(Answer.)*

1. À l'école, est-ce que tu fais du français?
2. Tu fais de l'anglais?
3. Tu fais de la gymnastique?
4. Tu fais des mathématiques?

Exercice 4 Vous aussi
Complétez d'après le modèle. *(Complete according to the model.)*

Nous faisons les courses...
Nous faisons les courses, et vous aussi,
  vous faites les courses.

1. Nous faisons les courses...
2. Nous faisons les courses le matin...
3. Nous faisons les courses dans un supermarché...

Exercice 5 Mon copain Gilbert
Complétez. *(Complete.)*

Voilà Gilbert, un copain du lycée. Il est très sportif. Il _____ toujours du sport.
Moi aussi, je _____ du sport. Gilbert et moi, nous _____ du volley. Nous _____
aussi de la gymnastique. Gilbert est aussi très fort en français. Il parle toujours
français avec une copine, Debbi. Ils _____ du français avec Madame Benoît. Ils
aiment beaucoup le cours de français. Qu'est-ce qu'ils _____ dans la classe de
Madame Benoît? Ils parlent beaucoup et ils chantent des chansons françaises. Vous
_____ du français aussi, n'est-ce pas? Avec qui _____-vous du français?

Mais il y a une chose que Gilbert ne _____ pas. Il déteste _____ les courses.
Pas moi. J'aime _____ les courses.

Exercice 6 Qu'est-ce que vous faites?
*Look at each picture. Ask the person or persons in the picture what they are
doing and give their answer.*

1.

2.

3.

4.

5.

Le partitif

In French the definite article (**le, la, l', les**) is used when speaking of a specific object:

> **Le poisson est dans la cuisine.** *The fish is in the kitchen.* (A specific fish is in the kitchen.)
> **Voilà le dessert.** *Here's the dessert.* (meaning a specific dessert)

The definite article is also used when speaking of a noun in a general sense:

> **Elle aime le lait.** *She likes milk.* (meaning she likes milk in general)
> **Il aime le dessert.** *He likes dessert.* (dessert in a general sense)

However, when only a quantity of the noun is referred to, the partitive construction is used. The partitive is usually expressed in English by *some* or *any*, or sometimes by no word at all. Look at these sentences:

> **As-tu du lait?** *Do you have any milk?*
> **Je vais commander du dessert.** *I'm going to order (some) dessert.*

In the sentences above, the partitive construction is used because only a certain quantity of the item is referred to, even though we don't know exactly what the quantity is.

The partitive in French is expressed by **de** plus the definite article. **De** combines with the definite article **le** to form **du** and with the definite article **les** to form **des**. **De l'** and **de la** remain unchanged.

---

de + le = du	**J'ai du pain.**
de + la = de la	**Avez-vous de la crème?**
de + l' = de l'	**Nous avons de l'argent.**
de + les = des	**Il achète des légumes.**

Exercice 7 Qu'est-ce que les amis vont faire?
Complétez avec le partitif. *(Complete with the partitive.)*

1. Je vais préparer _____ salade.

2. Jean va faire les courses. Il va acheter _____ pain, _____ lait et _____ gâteaux.

3. Il va chez le boucher où il va acheter _____ viande.

4. Il y a _____ fruits sur la table.

5. Jeannette va commander _____ pommes frites.

6. Thérèse prépare _____ sandwiches dans la cuisine.

7. Je vais donner _____ argent à Robert.

Exercice 8 Écoutes-tu de la musique?

Répondez d'après le modèle. *(Answer according to the model.)*

Écoutes-tu de la musique?
Oui, j'écoute de la musique.
J'aime beaucoup la musique.

1. Écoutes-tu du jazz?
2. Vas-tu acheter du pain?
3. Achètes-tu des gâteaux?
4. Commandes-tu du dessert?
5. Commandes-tu de la soupe aussi?

Exercice 9 Avez-vous de la viande?

Posez une question d'après le modèle. *(Ask a question according to the model.)*

J'aime beaucoup la viande.
Avez-vous de la viande, madame?

1. J'aime beaucoup le lait.
2. J'aime beaucoup la salade.
3. J'aime beaucoup les gâteaux.
4. J'aime beaucoup le pain français.
5. J'aime beaucoup les fruits.

Le partitif à la forme négative

Compare the following affirmative and negative sentences.

Affirmative	Negative
Commandes-tu du dessert?	Non, je ne commande pas de dessert.
J'ai de l'argent.	Je n'ai pas d'argent.
Je vais préparer des légumes.	Je ne vais pas préparer de légumes.

Note that the partitive articles **du, de l', de la,** and **des** all become **de** when they follow a negative verb. **De** shortens to **d'** before a noun that begins with a vowel or a silent **h.**

The same rule holds true for the expressions with **faire** that take **de.**

Je fais du français.   **Je ne fais pas de latin.**

Exercice 10　Elle fait les courses.

Répondez d'après le modèle. *(Answer according to the model.)*

Achète-t-elle du pain chez le boucher?
Non, elle n'achète pas de pain chez le
boucher.
Elle achète du pain chez le boulanger.

1. Achète-t-elle de la viande chez le boulanger?
2. Achète-t-elle du poisson chez le boucher?
3. Achète-t-elle du lait chez le marchand de légumes?
4. Achète-t-elle des gâteaux chez le poissonnier?

Exercice 11　Les sœurs de Charles

Complétez avec la forme convenable du partitif. *(Complete with the*
appropriate partitive form.)

Charles a _____ sœurs mais il n'a pas _____ frères. Les deux sœurs de
Charles sont Cassandre et Catherine. Cassandre fait _____ anglais mais
Catherine ne fait pas _____ anglais, elle fait _____ latin.
　Quand la famille va au restaurant Catherine commande toujours _____
viande. Cassandre ne commande pas _____ viande. Elle n'aime pas du tout la
viande. Elle commande toujours _____ poisson. Cassandre aime beaucoup la
salade et elle commande toujours _____ salade. Mais pas _____ salade pour
Catherine! Elle commande toujours _____ légumes. Elle adore les pommes de
terre frites. Les préférences sont différentes, mais c'est la vie.

Prononciation　　　　*O fermé et o ouvert*

Be sure to distinguish between the two *o* sounds of French. To pronounce the **o**
fermé, the lips should be rounded and thrust forward slightly, as in whistling. To
pronounce the **o ouvert,** the jaws should be open fairly wide.

o fermé	*o ouvert*
radio	fort
bientôt	formidable
maillot	Robert
posez	professeur
beaucoup	Nicole
au	dommage
aussi	joli

Pratique et dictée

Bientôt j'écoute la radio.　　　　　　　　Robert est formidable!
Posez beaucoup de questions au professeur.　Dommage! Il n'est pas fort!

Expressions utiles

In English the expression *I would like* (*I'd like*) is a polite way to say *I want*. It is used in conversation when *I want* would be too abrupt. There is an exact equivalent in French for *I would like*.

Je voudrais une baguette, s'il vous plaît.

In rich languages such as English and French, there is often more than one way to express basically the same idea. For example, in English there are several ways to express the idea *very*. We may say *That's very expensive*. We may also say *That's quite expensive*, *That's rather expensive*, or *That's pretty expensive*. There are similar options in French.

C'est très cher.
C'est bien cher.
C'est assez cher.

vocabulaire utile

Dans un marché ou un supermarché

le marchand

les conserves en boîtes

le savon

une bouteille
d'eau minérale

haricots verts
20F le kilo

½ kilo = une livre

la marchande

fraises
15F la boîte

le papier
hygiénique

Conversation

Chez un marchand de fruits au marché de la rue Cler

Marchand	Bonjour, madame.
Mme Dupont	Bonjour, monsieur.
Marchand	Comment allez-vous aujourd'hui?
Mme Dupont	Très bien, merci. Et vous?
Marchand	Très bien. Et qu'est-ce que madame désire aujourd'hui?
Mme Dupont	À combien sont les haricots verts?
Marchand	Dix francs le kilo.
Mme Dupont	Je voudrais une livre, s'il vous plaît.
Marchand	D'accord. Une livre.
Mme Dupont	Et à combien sont les fraises?
Marchand	Ah! Les fraises d'Israël. Douze francs la boîte.
Mme Dupont	Oh là là! C'est bien cher, ça.
Marchand	Oui, madame. Mais elles sont exquises.
Mme Dupont	Très bien. Une boîte, s'il vous plaît. Ça fait combien?
Marchand	Alors, les fraises et les haricots verts, ça fait dix-sept francs, madame. Merci, madame.
Mme Dupont	Au revoir, monsieur.
Marchand	Au revoir, madame.

Exercice Choisissez. *(Choose.)*

1. Madame Dupont _____ .
   a. va chez une amie
   b. fait les courses
   c. prépare une fête

2. Elle fait les courses _____ .
   a. au supermarché
   b. au marché de la rue Cler
   c. chez le boulanger

3. Les haricots verts coûtent dix francs _____ .
   a. la livre
   b. la boîte
   c. le kilo

4. Madame parle avec _____ .
   a. le marchand de fruits
   b. le boucher
   c. la famille

5. Madame achète _____ .
   a. une baguette de pain
   b. une boîte de fraises
   c. deux kilos de haricots verts

Lecture culturelle

On fait les courses

Est-ce qu'il y a des supermarchés en France?
Oui, il y a des supermarchés. Mais les Français
ne vont pas souvent° au supermarché pour
faire les courses. Les Français aiment faire les
courses dans des magasins spécialisés. Ils
n'achètent pas tout° dans le même° magasin.
Ils font les courses dans plusieurs° magasins.
Pour acheter de la viande, ils vont chez le
boucher. Pour acheter du pain, ils vont chez le
boulanger.

Presque tous les matins° les Français vont
chez le boulanger. Chez le boulanger ils
achètent du pain et des croissants ou des
brioches.°

Pourquoi les Français aiment-ils aller dans
des magasins spécialisés? Premièrement, la
qualité est presque toujours° excellente.
Deuxièmement, les Francais aiment converser
un peu avec le marchand ou la marchande. Ils
trouvent ça° très sympa.

°**souvent** *often*   °**tout** *everything*   °**même** *same*   °**plusieurs** *several*   °**tous les**
matins *every morning*   °**brioche** *type of roll*   °**presque toujours** *almost always*
°**Ils trouvent ça** *They find this*

116

Et alors, qu'est-ce qu'ils achètent au supermarché? Au supermarché ils achètent, par exemple, des conserves en boîtes, des bouteilles d'eau minérale, du papier hygiénique et du savon.

Exercice Répondez. *(Answer.)*

1. Est-ce qu'il y a des supermarchés en France?
2. Est-ce que les Français vont souvent faire les courses au supermarché?
3. Aiment-ils faire les courses dans des magasins spécialisés?
4. Où vont-ils acheter de la viande?
5. Où vont-ils acheter du pain?
6. Vont-ils souvent chez le boulanger?
7. Dans les magasins spécialisés, est-ce que la qualité est excellente?
8. Est-ce que les Français aiment converser un peu avec les marchands?
9. Qu'est-ce que les Français achètent au supermarché?

Activités

1 Look at the photographs and tell what the French people buy at each shop.

2 Read the conversation below and then change it using the given words. Practice the new conversations with a classmate.

— Qu'est-ce que tu vas faire, Carole?
— Je vais faire les courses.
— Qu'est-ce que tu vas acheter?
— **Du pain.**
— Ah, tu vas chez **le boulanger?**
— Oui.

Change **pain** to **viande; fraises; eau minérale; croissants.** Change **boulanger** to the appropriate merchant.

3 Tell whether the customs described are basically French or American.

- Tous les matins nous allons chez le boulanger pour acheter du pain.
- Nous achetons presque tout au supermarché.
- Nous faisons les courses tous les matins.
- Nous aimons faire les courses dans des magasins spécialisés.

galerie vivante

Une charcuterie à Paris

Madame Joubert est chez le marchand de légumes. À combien sont les carottes aujourd'hui?

Quand les Français vont au marché ils ne parlent pas de «pounds.» Il n'y a pas de «pounds» dans le système métrique. Il y a des kilos. Un kilo (un kilogramme) est l'équivalent de 2,2 «pounds.» Dans un kilo il y a mille (1,000) grammes. Un demi-kilo (1/2 kg) est une livre. Combien coûte une livre de tomates?

Madame Picard fait les courses au supermarché à Beaune. Est-ce que le chien de Madame Picard reste à la maison?

Au supermarché on paie à la caisse. Est-ce que Mme Martin et Brigitte achètent de l'eau minérale? Combien de bouteilles ont-elles?

Quand Madame Dupont va au marché à Paris, elle paie avec des francs français. Il y a des billets et des pièces.

Billets		Pièces	
10F	100F	1F	5F
20F	200F	2F	10F
50F	500F		

Le franc est divisé en centimes.

Pièces	
1c	20c
5c	50c
10c	

ℛévision

René a une sœur

— René, tu as des frères?
— Non, non. Je n'ai pas de frères mais j'ai une sœur, Ginette.
— Vous allez au même lycée?
— Non. Ginette ne va pas au lycée. Elle a douze ans et elle va au collège.
— Vous habitez la rue Berthollet, n'est-ce pas?
— Non. Nous habitons la rue de Grenelle dans le septième.

Exercice 1 La sœur de René
Complétez.

René Giraudoux n'_____ pas _____ frères, mais il _____ une sœur. La
sœur de René est Ginette. René et Ginette ne _____ pas _____ même lycée.
Ginette ne _____ pas _____ lycée. Elle _____ douze ans et elle _____ au
collège.

La famille de René et Ginette _____ le septième arrondissement. Ils _____
un appartement dans la rue de Grenelle.

Les verbes en -er

Review the following forms of the present tense of regular **-er** verbs.

Infinitive	parler	aimer
Present tense	je parle	j'aime
	tu parles	tu aimes
	il/elle parle	il/elle aime
	nous parlons	nous aimons
	vous parlez	vous aimez
	ils/elles parlent	ils/elles aiment

Exercice 2 Qu'est-ce qu'on fait pendant la fête?
Complétez.

1. Moi, je _____ avec un copain.

4. Nous _____ .

2. André _____ une salade dans la cuisine.

5. Et vous? Est-ce que vous _____ la télé?

3. Les amis _____ des disques de jazz.

Exercice 3 Personnellement
Répondez.

1. Où habites-tu?
2. Parlez-vous anglais ou français à la maison?
3. Dînes-tu à la maison?
4. Après le dîner, regardez-vous la télévision?
5. Tu aimes regarder la télévision?

Les verbes irréguliers

Review the three irregular verbs that you have learned.

Infinitive	aller	avoir	faire
Present tense	je vais	j'ai	je fais
	tu vas	tu as	tu fais
	il/elle va	il/elle a	il/elle fait
	nous allons	nous avons	nous faisons
	vous allez	vous avez	vous faites
	ils/elles vont	ils/elles ont	ils/elles font

Exercice 4 Personnellement
Répondez.

1. As-tu des frères ou des sœurs?
2. Combien de frères ou de sœurs as-tu?
3. Allez-vous à la même école?
4. À quelle école vas-tu (allez-vous)?
5. Fais-tu du français?

Exercice 5 Parlons!

Tell what you or someone else studies, at what time the person goes to that class, and what he/she thinks of the teacher.

Robert / du latin
Robert fait du latin.
Il va à la classe de latin à neuf heures.
Il a un professeur très sympa.

1. Caroline / de l'histoire
2. Moi, je / du français
3. Claude et René / des maths
4. Nous / de l'anglais
5. Tu / de la biologie
6. Vous / de la gymnastique

L'article indéfini

The indefinite articles (*a, an*) are **un, une.** The plural *(some)* of **un, une** is **des.**

Singular	Plural
J'ai **un** frère.	J'ai **des** frères.
Eugénie a **une** sœur.	Eugénie a **des** sœurs.

Exercice 6   Un, une, des
Complétez.

1. Claudine va avoir _____ anniversaire. Roger va donner _____ fête. Il va inviter _____ amis.
2. Au restaurant je vais commander _____ steak saignant avec _____ pommes frites et _____ salade.
3. La famille Dejarnac a _____ appartement à Paris et _____ maison à Nice.

Le partitif

Remember that the partitive *(some, any)* is expressed by **de** plus the definite article in French. **De** contracts with **le** to form **du** and with **les** to form **des.** Remember, too, that in the negative **du, de la, de l',** and **des** all become **de.**

Affirmative	Negative
J'ai du pain.	Je n'ai pas de pain.
J'ai de la viande.	Je n'ai pas de viande.
J'ai de l'argent.	Je n'ai pas d'argent.
J'ai des gâteaux.	Je n'ai pas de gâteaux.

Un and **une** also become **de** when they follow a verb in the negative.

Ils ont une maison à Nice.   **Ils n'ont pas de maison à Nice.**

Exercice 7   Robert a de la viande.
Suivez le modèle.

Robert / viande, légumes
Robert a de la viande mais il n'a pas de légumes.

1. Robert / frères, sœurs
2. Robert / disques, argent
3. Robert / viande, salade
4. Robert / salade, pommes frites
5. Robert / poisson, fruits

ℒecture culturelle

Supplémentaire

Une surprise-partie

René va donner une surprise-partie. Mais qu'est-ce que c'est qu'une surprise-partie? Il y a une différence entre une surprise-partie américaine et une surprise-partie française. Aux États-Unis nous donnons une surprise-partie pour un(e) ami(e) ou un parent mais la personne n'est pas au courant de*la fête. Quand il/elle arrive à la fête, il/elle est complètement surpris(e).

Les Français donnent des surprises-parties aussi. Mais la surprise-partie française est une fête tout simple. Il n'y a pas de surprise. Quand les Français donnent une surprise-partie ils invitent des amis ou des parents mais la fête n'est pas une surprise pour une personne spéciale.

Exercice   Qui parle, un Français ou un Américain?

1. Je vais donner une surprise-partie pour Suzanne. Elle va être très contente. Et elle va être très surprise.
2. Vendredi je vais donner une surprise-partie. Je vais inviter des amis chez moi. Nous allons danser et écouter des disques.

---

*n'est pas au courant de   *doesn't know about*

126

Lecture culturelle

Supplémentaire

Une famille ouvrière

la maison des Giraudoux

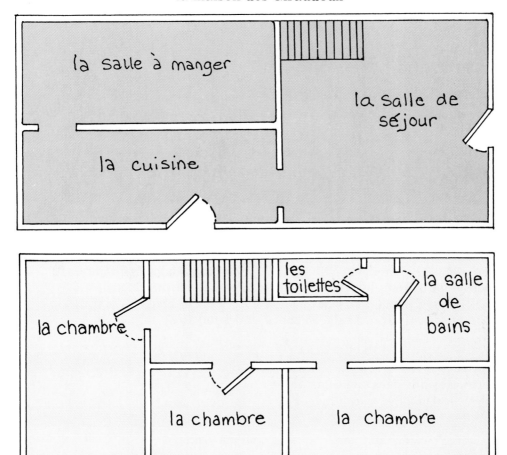

La famille Giraudoux est une famille ouvrière. M. Giraudoux travaille* dans une usine* et Mme Giraudoux travaille dans une banque. Dans la famille Giraudoux il y a trois enfants. Robert et Claudine ne travaillent pas. Ils vont à l'école. Monique a dix-huit ans. Elle ne va pas à l'école. Elle travaille. Elle est vendeuse* à la Samaritaine. La Samaritaine est un grand magasin.

---

*travaille *works*   *usine *factory*   *vendeuse *salesclerk*

Comme beaucoup de familles ouvrières, les Giraudoux n'habitent pas la ville. Ils habitent la banlieue. La famille Giraudoux a une maison à Boulogne-Billancourt dans la banlieue de Paris. Dans la maison il y a six pièces. La cuisine, la salle à manger et la salle de séjour sont au rez-de-chaussée. Au premier étage il y a trois chambres à coucher et bien sûr une salle de bains˚ et des toilettes˚.

Exercice Choisissez. *(Choose.)*

1. M. Giraudoux travaille dans une usine. Il est _____ .
   a. ouvrier   b. banquier   c. vendeur

2. Monique a _____ .
   a. trois enfants   b. dix-huit ans   c. un grand magasin

3. Monique travaille dans _____ .
   a. une usine   b. un grand magasin   c. une banque

4. Beaucoup de familles ouvrières en France habitent _____ .
   a. la banlieue   b. la ville   c. les arrondissements élégants de Paris

5. Les Giraudoux habitent _____ .
   a. une maison privée   b. un appartement   c. une villa

˚ **salle de bains** *bathroom*   ˚ **toilettes** *toilet*

qecture culturelle

Supplémentaire

La Martinique

La Martinique est une île tropicale dans la mer des Caraïbes. Les habitants de la Martinique sont des Martiniquais. Les Martiniquais parlent français parce que la Martinique est un département français. À la Martinique il y a beaucoup d'influence française et il y a aussi beaucoup d'influence africaine. Beaucoup de Martiniquais sont d'origine africaine.

Comme c'est une île tropicale, il fait toujours chaud à la Martinique. Beaucoup de Français, de Canadiens-français et d'Américains aiment passer les vacances d'hiver à la Martinique. Quand il fait froid dans le Nord, il fait chaud à la Martinique. Le tourisme est une industrie importante pour les Martiniquais.

Exercice   Répondez.

1. Qu'est-ce que c'est que la Martinique?
2. Où est la Martinique?
3. Qui sont les habitants de la Martinique?
4. Parlent-ils français ou anglais?
5. Est-ce qu'il y a beaucoup d'influence africaine à la Martinique?
6. Pourquoi est-ce qu'il y a beaucoup d'influence africaine?
7. Quel temps fait-il à la Martinique?
8. Qui aime passer les vacances à la Martinique?
9. Aiment-ils aller à la Martinique en été ou en hiver?

9 À l'aéroport

À l'aéroport

l'ordinateur

le comptoir
de la ligne aérienne

le passager

l'employée

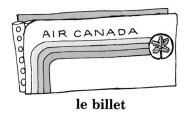

le billet

le passeport

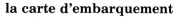

la carte d'embarquement

la valise   le porteur

la porte d'embarquement

le vol   l'indicateur (*m*)

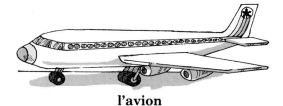

l'avion

le contrôle de sécurité

Exercice 1 À l'aéroport
Répondez.

1. Est-ce que le passager est au comptoir de la ligne aérienne?
2. Parle-t-il avec l'employée?
3. Est-ce qu'il donne son billet et son passeport à l'employée?
4. Est-ce que l'employée donne une carte d'embarquement au passager?
5. Est-ce que les passagers passent par le contrôle de sécurité?

Exercice 2 Qu'est-ce que c'est?

1.

4.

2.

5.

3.

6.

Le porteur aide le passager avec les bagages.

Le passager **montre** son billet à l'employée.

Il **choisit sa place.**

Il **fait enregistrer** ses bagages.

— **Bon voyage,** monsieur!

L'avion **atterrit.**
Les passagers **finissent leur** voyage.

Exercice 3   Un passager arrive.
Répondez.

1. Qui aide le passager avec les bagages?
2. Qu'est-ce que le passager montre à l'employée?
3. Qu'est-ce qu'il choisit?
4. Qu'est-ce qu'il fait enregistrer?

Exercice 4   À l'aéroport
Complétez.

1. Le porteur n'aide pas le passager avec son billet. Il aide le passager avec ses _____ .
2. Le passager ne montre pas son billet au porteur. Il montre son billet à _____ .
3. Le passager ne choisit pas ses bagages. Il choisit sa _____ .
4. Les passagers ne commencent (*begin*) pas leur voyage. Ils _____ leur voyage.

Structure

Les verbes en *-ir* au présent

Most French verbs are regular **-er** verbs. You already know how to use **-er** verbs in the present tense. Another group of regular verbs have infinitives ending in **-ir**. Study the present tense forms of regular **-ir** verbs. Pay particular attention to the endings.

Infinitive	**choisir**	**finir**	ENDINGS
Stem	chois-	fin-	
Present tense	je choisis	je finis	-is
	tu choisis	tu finis	-is
	il/elle choisit	il/elle finit	-it
	nous choisissons	nous finissons	-issons
	vous choisissez	vous finissez	-issez
	ils/elles choisissent	ils/elles finissent	-issent
Imperative	Choisis!	Finis!	
	Choisissons!	Finissons!	
	Choisissez!	Finissez!	

Note that the final consonant of all the singular forms is silent.

Exercice 1 Madame Lemoine fait un voyage.
Répondez que *Oui*.

1. Est-ce que Madame Lemoine choisit un vol d'Air France?
2. Choisit-elle le vol numéro quinze?
3. Choisit-elle sa place dans l'avion?
4. Après le voyage, est-ce que l'avion atterrit?
5. Atterrit-il à sept heures?
6. Est-ce que Madame Lemoine finit son voyage?

Exercice 2 Personnellement
Répondez.

1. Choisis-tu un restaurant cher ou économique?
2. Dans le restaurant, choisis-tu de la viande ou du poisson?
3. Choisis-tu un dessert?
4. Quand tu finis le dîner, laisses-tu un pourboire pour le garçon?

Exercice 3 Pardon?
Suivez le modèle.

Nous choisissons un restaurant
  économique.
Pardon? Qu'est-ce que vous choisissez?

1. Nous choisissons un steak frites.
2. Nous choisissons des légumes.
3. Nous choisissons une salade.

4. Nous choisissons un dessert.
5. Nous finissons le dîner.

Exercice 4 Au comptoir
Répondez que *Oui*.

1. Est-ce que les passagers choisissent leurs places?
2. Choisissent-ils leurs places au comptoir de la ligne aérienne?
3. Choisissent-ils un vol direct?

Les adjectifs possessifs

Possessive adjectives are used to express possession or ownership. Like other adjectives, a possessive adjective must agree with the noun it modifies. The adjectives **mon** (*my*), **ton** (*your,* familiar), and **son** (*his* or *her*) have three singular forms each.

Masculine singular	mon billet	ton billet	son billet
Feminine singular	ma carte	ta carte	sa carte
Masculine or feminine plural	mes billets mes cartes	tes billets tes cartes	ses billets ses cartes

Note that **son, sa, ses** can mean either *his* or *her*. The agreement is made with the item and not with the owner of the item.

Before a singular noun that begins with a vowel, the masculine form **mon, ton, son** is used even if the noun is feminine.

Masculine or feminine singular before a vowel	mon ami mon amie	ton ami ton amie	son ami son amie

The possessive adjectives **notre** (*our*), **votre** (*your* formal and plural), and **leur** (*their*) have only two forms—singular and plural:

Singular	notre billet	votre billet	leur billet
	notre carte	votre carte	leur carte
Plural	nos billets	vos billets	leurs billets
	nos cartes	vos cartes	leurs cartes

French speakers use **ton, ta, tes** with people whom they address as **tu.** They use **votre, vos** with people they address as **vous.**

Remember to make a liaison with **mon, ton, son,** and all the plural forms of the possessive adjectives when the following noun begins with a vowel or a silent **h.**

> **mon ami**
> **ses élèves**

Exercice 5   Où est ton passeport?
Répondez d'après le modèle.

Où est ton passeport?
Voici mon passeport.

1. Où est ton ami?
2. Où est ton amie?
3. Où est ton billet?
4. Où est ta carte d'embarquement?
5. Où est ta valise?
6. Où est ta place?
7. Où sont tes bagages?
8. Où sont tes billets?

Exercice 6   Tu as ton billet?
Suivez le modèle.

J'ai mon billet.
Richard, est-ce que tu as ton billet aussi?

1. J'ai mon passeport.
2. J'ai mon billet.
3. J'ai ma carte d'embarquement.
4. J'ai ma valise.
5. J'ai mes bagages.
6. J'ai mes disques.

Exercice 7   Où est le frère de Jacques?
Suivez le modèle.

Où est le frère de Jacques?
Son frère est là-bas.

1. Où est le cousin de Jacques?
2. Où est le copain de Jacques?
3. Où est la sœur de Jacques?
4. Où est la copine de Jacques?
5. Où sont les amis de Jacques?
6. Où sont les copains de Jacques?

Exercice 8　Son frère est sympa.
Suivez le modèle.

Voici le frère de Carole.
Son frère est très sympa.

1. Voici l'ami de Carole.
2. Voici le cousin de Carole.
3. Voici la mère de Carole.

4. Voici la sœur de Carole.
5. Voici les frères de Carole.
6. Voici les copains de Carole.

Exercice 9　Parlons de vous.
Répondez avec *Nous.*

1. Est-ce que vous parlez avec votre professeur de français?
2. Est-ce que vous faites un voyage avec votre classe de français?
3. Est-ce que vous montrez votre billet à l'employée?
4. Est-ce que vous choisissez vos places?
5. Est-ce que vous faites enregistrer vos bagages?

Exercice 10　La famille Dupont
Répondez que *Oui.*

1. Est-ce que leur appartement est à Paris?
2. Est-ce que leurs amis habitent Paris aussi?
3. Est-ce qu'ils font un voyage avec leurs amis?
4. Vont-ils à leur maison de Nice?
5. Vont-ils à leur maison de Nice en été?

Exercice 12 Complétez.

René a une sœur. _____ sœur a seize ans. René a un frère aussi. _____ frère a dix-huit ans. Aujourd'hui René, _____ sœur et _____ frère vont à Nice avec _____ amis. _____ amis ont une maison à Nice.

Nous n'avons pas de maison à Nice. Nous avons un appartement à Paris. Nous aimons beaucoup _____ appartement. Nous aimons _____ six pièces.

Vous habitez à Chicago, n'est-ce pas? Où est _____ maison ou _____ appartement?

Les adjectifs en *-en* ou *-on*

Study the forms of the following adjectives.

Masculine singular	canadien	aérien	bon
Feminine singular	canadienne	aérienne	bonne
Masculine plural	canadiens	aériens	bons
Feminine plural	canadiennes	aériennes	bonnes

Many adjectives whose masculine form ends in **-n** will double the **n** in the feminine form. Notice the nasal pronunciation of the masculine singular and plural forms.

Exercice 13 Complétez.

La ligne _____ (aérien) _____ (canadien) organise des vols _____ (européen) et ils ont un très _____ (bon) service. Je voudrais bien avoir une _____ (bon) place sur un avion _____ (canadien) et faire un _____ (bon) voyage _____ (européen).

Prononciation

Le son é

Final *er*		Final *ez*		*é*	
dîn<u>er</u>	regard<u>er</u>	ch<u>ez</u>	compl<u>ez</u>	<u>é</u>té	théâtre
janvi<u>er</u>	aim<u>er</u>	all<u>ez</u>	lis<u>ez</u>	t<u>é</u>l<u>é</u>	cinéma
févri<u>er</u>	prépar<u>er</u>	répét<u>ez</u>	préfér<u>ez</u>	R<u>é</u>né	<u>é</u>cole

Pratique et dictée

René prépare le dîner.
Vous aimez regarder la télé?
Vous allez danser chez les Desroches.

Préférez-vous le cinéma?
En été vous n'allez pas à l'école.

Note

In French the word **on** is called an indefinite pronoun. It can mean *one, they, we, you, people.* It is used when the subject does not refer to any particular person. Note that the pronoun **on** takes the **il/elle** form of the verb.

Écoute! On annonce le départ de notre vol.
On parle français à Montréal.

Conversation

Au comptoir de la ligne aérienne

L'employé Bonsoir, madame. Où allez-vous ce soir?

Mme Benoît Je vais à Québec via Montréal.

L'employé Votre billet, s'il vous plaît. Très bien. Le vol 201 à destination de Montréal. Vous avez des bagages?

Mme Benoît Oui. Voici mes deux valises.

L'employé Très bien, madame. Voici votre carte d'embarquement. Ce soir on choisit les places à la porte d'embarquement. Notre ordinateur ici est en panne.*

Exercice Complétez.

1. Mme Benoît est au _____ .
2. Elle parle avec _____ .
3. Ce soir elle va à _____ .
4. Le numéro de son vol est _____ .
5. La destination de son vol est _____ .
6. Mme Benoît a deux _____ .
7. L'employée donne à Mme Benoît sa _____ .
8. Ce soir on ne choisit pas les places au comptoir. On choisit les places à la _____ .
9. _____ est en panne.

---

en panne *out of order*

ℚecture culturelle

On va faire un voyage

Mme Benoît et ses élèves arrivent à l'aéroport de leur ville. Les élèves sont très contents. Ils vont au Canada pour faire du ski et aussi pour pratiquer et perfectionner* leur français. Mais, est-ce qu'on parle français au Canada? Bien sûr. Dans la province de Québec, et aussi dans les provinces maritimes,* on parle français.

Dans l'aéroport, les élèves vont au comptoir de la ligne aérienne. Ils montrent leurs billets à l'employé. Ils font enregistrer leurs bagages. Ils choisissent leurs places. L'employé donne aux élèves leurs cartes d'embarquement.

Alors on annonce:

«Attention, s'il vous plaît. Vol 201 à destination de Montréal. Embarquement immédiat, porte numéro 12.»

— Écoutez! On annonce le départ de notre vol.

Mme Benoît explique* à ses élèves qu'on va d'abord* au contrôle de sécurité. Ensuite* on va à la porte numéro douze.

Bon voyage!

---

*perfectionner *to improve*   *Les provinces maritimes sont la Nouvelle-Écosse (*Nova Scotia*), le Nouveau-Brunswick et l'île du Prince-Édouard.   *explique *explains*   *d'abord *first*   *ensuite *then*

Exercice Choisissez.

1. Qui arrive à l'aéroport?
   a. Les employés de la ligne aérienne.
   b. Mme Benoît et sa fille.
   c. Mme Benoît et ses élèves.

2. Comment sont les élèves de Mme Benoît?
   a. Très forts en français.
   b. Très tristes.
   c. Très contents.

3. Où sont-ils?
   a. À l'aéroport de leur ville.
   b. Dans l'avion.
   c. À Montréal.

4. Où vont-ils?
   a. À leur ville.
   b. Au Canada.
   c. À la porte numéro 201.

5. Qu'est-ce qu'ils vont faire au Canada?
   a. Ils vont aller à une école canadienne.
   b. Ils vont faire du ski.
   c. Ils vont aux provinces maritimes.

6. Qu'est-ce qu'on parle dans la province de Québec?
   a. Espagnol.
   b. Français.
   c. Anglais.

7. Qu'est-ce qu'ils montrent à l'employé de la ligne aérienne?
   a. Leurs bagages.
   b. Leurs billets.
   c. Leurs cartes d'embarquement.

8. Qu'est-ce que les élèves choisissent au comptoir de la ligne aérienne?
   a. Leurs billets.
   b. Leurs bagages.
   c. Leurs places.

9. Qu'est-ce qu'on annonce?
   a. L'arrivée de leur vol.
   b. Le départ de leur vol.
   c. Le départ d'un vol à destination de Paris.

10. D'abord, où vont les élèves?
    a. À la classe de Mme Benoît.
    b. À la porte d'embarquement.
    c. Au contrôle de sécurité.

Activités

1 Voici l'indicateur dans l'aéroport de Roissy. Donnez les destinations des vols.

- Le vol numéro PA 081 va à _____.
- Le vol numéro _____ va à Athènes.

HOR.	VOL	DESTINATION	ZONE	OBSERVATIONS
0940	A06089	PALMA	3	
1000	A06063	PALMA	3	
1200	PA 081	LOS ANGELES	3	
1205	JR1561	DUBROVNIK	3	
1300	FQ 511	TEL-AVIV	4	
1400	CS 166	AJACCIO	4	
1400	CS 400	BASTIA	4	
1400	GH8805	NEW YORK	3	
1415	FQ 843	ATHENES	4	
1415	SF9134	AJACCIO	4	ZONE 4

cotep

2 Voici une carte d'embarquement. Donnez:

- le nom (*name*) du passager
- le numéro de son vol
- sa destination
- le numéro de sa place

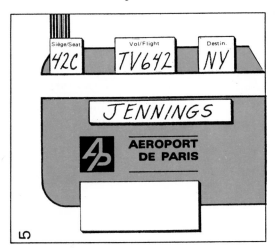

Siège/Seat	Vol/Flight	Destin.
42C	TV642	NY

JENNINGS

AEROPORT DE PARIS

5

3 Say all you can about the illustration.

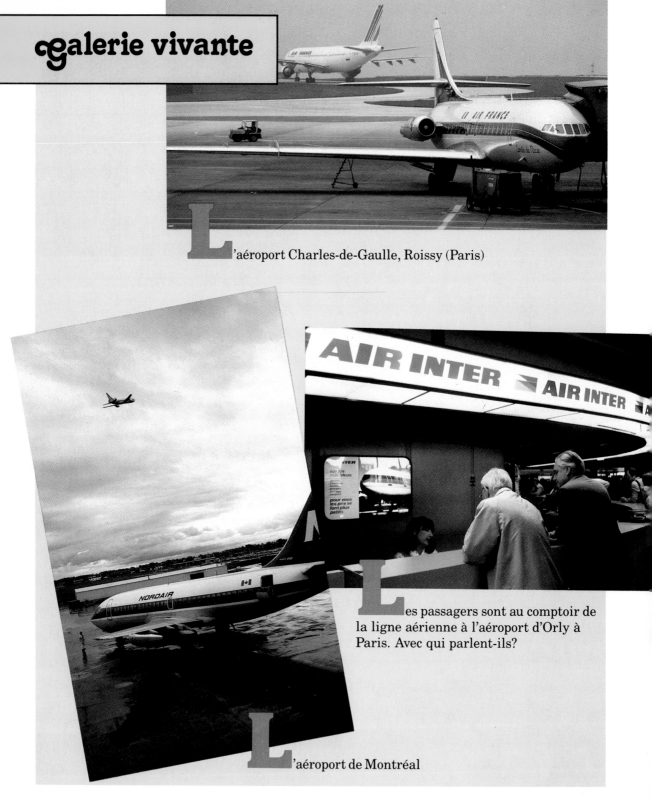

galerie vivante

L'aéroport Charles-de-Gaulle, Roissy (Paris)

Les passagers sont au comptoir de la ligne aérienne à l'aéroport d'Orly à Paris. Avec qui parlent-ils?

L'aéroport de Montréal

On annonce le départ des vols. Les vols vont de Paris à Mexico, New York, Tokyo, Rome, etc. Quel vol allez-vous choisir?

Au contrôle des passeports, l'agent vérifie et tamponne le passeport d'un passager qui arrive en France. Avez-vous un passeport?

Le Concorde, un avion supersonique, fait New York-Paris en trois heures et demie!

Voici une carte d'accès pour un vol Concorde. Quel est le numéro du vol? Quel est le numéro du siège?

Dans une station de ski

Vocabulaire

Dans une station de sports d'hiver

une montagne   une piste

une skieuse   un skieur

un télésiège

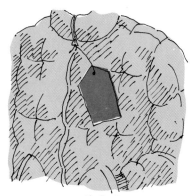

un ticket

un guichet

vendre

attendre

monter

descendre

144

Paul et Nathalie descendent la piste.
Ils descendent très **vite.**
Philippe monte sur la montagne.

Voici le parc du **mont** Sainte-Anne.
C'est **une station de ski.**

Les skieurs **attendent** le télésiège.
On vend les tickets pour le télésiège au
   guichet.

Exercice 1   Le mont Sainte-Anne
Complétez.

1. Le parc du mont Sainte-Anne est une _____ .
2. Les skieurs attendent le _____ .
3. Ils attendent le télésiège pour _____ la montagne.
4. On vend les tickets pour le télésiège au _____ .
5. Paul et Nathalie ne montent pas sur la montagne. Ils _____ la montagne.

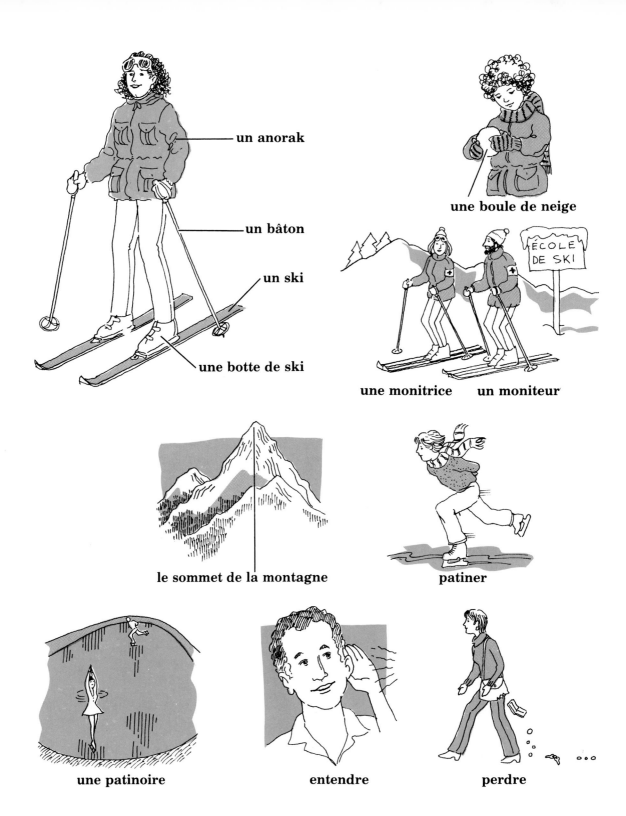

un anorak

un bâton

un ski

une botte de ski

une boule de neige

ÉCOLE DE SKI

une monitrice   un moniteur

le sommet de la montagne

patiner

une patinoire

entendre

perdre

146

Exercice 2 À la station de ski
Répondez.

1. Est-ce que les skieurs montent au sommet de la montagne?
2. Est-ce qu'ils ont leurs skis et leurs bâtons?
3. Est-ce qu'ils ont des bottes de ski?
4. Est-ce que tout le monde a un anorak?
5. Est-ce que l'enfant fait une boule de neige?
6. Est-ce qu'on patine sur la patinoire?

Le temps en hiver

Il fait froid.

Il neige.

Il fait du vent.

Il fait deux degrés.
(Il fait zéro. [0°])
(Il fait moins deux. [−2°])

Exercice 3 En hiver
Répondez.

1. En hiver, fait-il chaud ou froid?
2. Est-ce qu'il neige?
3. Fait-il du vent?
4. Est-ce que les vents d'hiver sont forts?
5. Quelle température fait-il?

Structure

Les verbes en -re au présent

Another group of regular verbs have infinitives ending in **-re.** Study the present tense forms of regular **-re** verbs, paying special attention to the endings. The stem is found by dropping **-re** from the infinitive.

Infinitive	attendre	vendre	ENDINGS
Stem	attend-	vend-	
Present tense	j'attends	je vends	-s
	tu attends	tu vends	-s
	il/elle attend	il/elle vend	—
	nous attendons	nous vendons	-ons
	vous attendez	vous vendez	-ez
	ils/elles attendent	ils/elles vendent	-ent
Imperative	Attends!	Vends!	
	Attendons!	Vendons!	
	Attendez!	Vendez!	

Note that the **d** of the stem is silent in the singular forms. It is pronounced in the plural forms.

Since the **il/elle** form already ends in the consonant **d,** it is not necessary to add a **t** in the inverted question form. The **d** is pronounced /t/ in the inverted form.

/t/   /t/
vend-il   attend-elle

You have already encountered the verb **répondre** (*to answer*). **Répondre** is one of the verbs that does not take a preposition in English but takes one in French.

L'élève répond à la question.   *The student answers the question.*

On the other hand, some verbs take a preposition in English but not in French. *To wait for* (**attendre**) is such a verb.

**Les skieurs attendent le   *The skiers are waiting for the chair
téléisège.**   lift.*

Exercice 1 Un petit accident
Répondez d'après l'illustration.

1. Est-ce que les skieurs attendent le télésiège?

4. Est-ce qu'un skieur perd un ski?

2. Descendent-ils la piste?
3. Descendent-ils vite?

5. Descend-il la piste à pied?
6. Entend-il le moniteur?

Exercice 2 Moi aussi
Suivez le modèle.

Gérard attend le moniteur.
Moi aussi, j'attends le moniteur.

1. Gérard attend le moniteur.
2. Il attend la leçon de ski.
3. Il entend la question du moniteur.
4. Il répond à la question.

Exercice 3 Nous descendons!
Suivez le modèle.

Nous attendons le télésiège...
Nous attendons le télésiège et vous attendez le télésiège aussi.

1. Nous attendons le moniteur...
2. Nous descendons la piste...
3. Nous descendons vite...
4. Hélas, nous perdons nos skis...

Exercice 4 C'est dangereux!
Complétez.

1. Les skieurs _____ le télésiège. **attendre**
2. On _____ les tickets pour le télésiège au guichet. **vendre**
3. Moi, j'aime beaucoup skier. Je _____ les pistes très vite. **descendre**
4. Voilà mon ami Charles. Oh là là! Il _____ un bâton. **perdre**
5. Charles! Tu _____ avec un seul bâton? **descendre**
6. Charles! C'est dangereux ça! _____ le moniteur! **attendre**
7. Charles, tu _____ ou non? **entendre**
8. Voici le moniteur. Nous _____ avec le moniteur sans problème. Pas d'accident. **descendre**

L'adjectif interrogatif: *quel, quels, quelle, quelles*

The word **quel** is the interrogative adjective that means *What _____?* or *Which _____?* All the forms of **quel** sound the same in spoken French. However, the spelling changes according to gender (masculine or feminine) and number (singular or plural).

Masculine singular	quel	Quel sport aimes-tu?
Masculine plural	quels	Quels sports aimes-tu?
Feminine singular	quelle	Quelle piste descends-tu?
Feminine plural	quelles	Quelles pistes descends-tu?

When one of the plural forms precedes a noun that begins with a vowel or a silent **h,** liaison is made and the **s** is pronounced /z/.

/z/
Avec quelles amies fais-tu du ski?

/z/
Avec quels amis fais-tu du ski?

Exercice 5 Je suis sportif.
Suivez le modèle.

J'aime beaucoup les sports.
Ah, oui? Quels sports aimes-tu?

1. J'aime beaucoup les sports d'hiver.
2. J'aime beaucoup le moniteur.
3. J'aime beaucoup le parc.
4. J'aime beaucoup les pistes.
5. J'aime beaucoup les bottes.
6. J'aime beaucoup la patinoire.
7. J'aime beaucoup les disques.

L'exclamation *Quel* _____ !

Quel can be used before a noun to convey the exclamation *What* _____ ! or *What a* _____ !

Quel athlète!   *What an athlete!*
Quelle jolie fête!   *What a nice party!*

Exercice 6   Suivez le modèle.

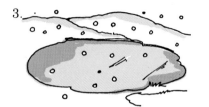

Oh là là! Quelle skieuse!

1.

2.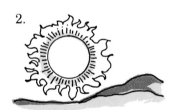

3.

4.

5.

6.

L'adjectif *tout, tous, toute, toutes*

The adjective **tout** is used with the definite article **(le, la, l', les)**. **Tout le, toute la, tous les, toutes les** can mean *all the, the entire,* or *every*. Like other adjectives, **tout** must agree in gender and number with the noun it modifies. Study the forms of **tout**.

Masculine singular	tout	tout le magasin *the whole store*
Masculine plural	tous	tous les magasins *every store, all the stores*
Feminine singular	toute	toute la classe *the whole class, the entire class*
Feminine plural	toutes	toutes les classes *all the classes, every class*

Note that the expression **tout le monde** means *everyone* or *everybody*.

Exercice 7   La classe fait un voyage.
Complétez l'histoire avec la forme convenable de _tout_.

_____ la classe de Madame Benoît est à l'aéroport. _____ les élèves sont très contents. Ils vont faire un voyage. Ils vont à Montréal. _____ les matins ils vont faire du ski. _____ les garçons et _____ les filles ont leurs skis et leurs bâtons. Pendant _____ le voyage, _____ le monde va parler français.

Prononciation   Les lettres *j, ch, qu*

j	*ch* = "sh"	*qu* = "k"
je	chez	que
joli	chat	qui
jeune	chien	quel
janvier	chanter	quinze
juin	choisis	exquis
juillet	charmant	magnifique

Pratique et dictée

Je choisis juin et juillet.   Quel quartier exquis!
Qui est cette jolie jeune fille?   Les jeunes gens font de la
Il y a un chat et deux chiens chez moi.   gymnastique avec Georges.
Qui chante cette chanson charmante?

Conversation

On aime les sports d'hiver!

Brigitte	Tu aimes les sports d'hiver, Ginette?
Ginette	Ah, oui. J'aime beaucoup faire du ski.
Brigitte	Tu descends les pistes difficiles?
Ginette	Mais oui. Bien sûr.
Brigitte	Pas moi. Je ne skie pas très bien. Je suis débutante.
Ginette	Mais quand même, il y a des pistes pour les débutants.

Exercice   Débutante et experte
Faites une histoire d'après la conversation.

Ginette parle avec _____ amie, Brigitte. Ginette aime beaucoup les _____ _____ . Elle aime beaucoup faire _____ _____ . Elle _____ les pistes difficiles. Mais Brigitte _____ _____ pas les pistes difficiles. Elle ne _____ pas très bien. Elle est _____ . Mais il n'y a pas de problème. Dans les stations de ski il y a aussi des _____ pour les débutants.

ℚecture culturelle

On fait du ski

Quel journée* splendide! Le soleil brille très fort dans le ciel bleu. Il fait froid et il y a de la neige partout.*

Après un voyage agréable en avion la classe de Mme Benoît est au mont Sainte-Anne. Le parc du mont Sainte-Anne est une station de sports d'hiver près de* la ville de Québec. Après leur arrivée les élèves vont tout de suite* à la montagne. Ils ont tout leur équipement, les skis, les bâtons, les bottes et les anoraks. Ils achètent leurs tickets pour le télésiège. Ils attendent un peu et ensuite ils commencent à monter. Ils montent jusqu'au* sommet de la montagne. Quelle vue splendide!

---

journée   day
partout   everywhere
près de   near
tout de suite   immediately
jusqu'au   all the way to

— On va descendre, crie* Thérèse.

Ils poussent* sur les bâtons et la descente commence. Ils descendent très vite. Le pauvre Paul! Il est débutant. Regarde! Il perd un bâton. Va-t-il tomber?* Oh là là! Oui, il tombe. Il commence à rouler.* Il roule et roule. Il roule deux cents mètres jusqu'au bout* de la piste.

— Paul! Tout va bien? crient les autres.

— Oui, oui. Tout va bien, répond-il. Mais je suis couvert de neige. Je suis couvert de la tête* aux pieds.

— Tu es une boule de neige, crie un copain.

— Une boule qui roule! Où est mon bâton? Je vais remonter.

— Tu es un vrai casse-cou,* Paul. Bonne chance!*

Exercice Répondez.

1. Quel temps fait-il?
2. Où est la classe de Mme Benoît?
3. Qu'est-ce que c'est que le parc du mont Sainte-Anne?
4. Où vont les élèves tout de suite?
5. Qu'est-ce qu'ils ont?
6. Qu'est-ce qu'ils achètent?
7. Jusqu'où montent-ils dans le télésiège?
8. Comment descendent-ils la piste?
9. Qui est débutant?
10. Qu'est-ce qu'il perd?
11. Jusqu'où roule-t-il?
12. Qui est une boule de neige?
13. Qu'est-ce que Paul va faire?

| *crie | *shouts* | *poussent | *push* | *tomber | *to fall* | *rouler | *to roll* | *bout | *end* |
| *tête | *head* | *casse-cou | *daredevil* | *chance | *luck* | | | | |

154

Activités

1 Répondez aux questions personnelles.

- Où habitez-vous?
- Habitez-vous près des montagnes?
- Est-ce qu'il y a une station de sports d'hiver près de votre ville?
- Aimez-vous les sports d'hiver?
- Aimez-vous faire du ski?

- Faites-vous du ski?
- Skiez-vous très bien ou êtes-vous débutant(e)?
- Aimez-vous patiner?
- Patinez-vous?
- Est-ce qu'il y a une patinoire dans votre ville?

2 Describe what you see in the picture.

3 Have a contest with three friends. See who can make up the most questions about the picture in five minutes.

galerie vivante

Des skieurs experts

Une piste avec tremplin
au Mont-Sainte-Anne au
Québec

Une classe de neige

En France les écoles élémentaires ont des classes de neige. Les enfants vont dans une station de sports d'hiver. Le matin les élèves ont des classes. L'après-midi des moniteurs donnent des leçons de ski aux enfants. Est-ce que nous avons des classes de neige aux Etats-Unis?

Voici un «skipass» pour skier dans la région du Mont Blanc dans les Alpes.

LE PASSEPORT UNIQUE: SKIPASS MONT-BLANC

Du 19 décembre 83 au 11 avril 84 cette carte personnelle plastifiée délivrée (avec photo) par les Offices du Tourisme de 13 stations de la région du Mt-Blanc, vous permet de skier en toute liberté sur la totalité de leur domaine skiable (soit 180 remontées mécaniques), d'utiliser les cars réguliers de liaisons entre les stations et les cars-navettes dans chaque station qui en est équipée.

Pour 6 jours consécutifs . . . . 485 FF
Pour 4 jours consécutifs . . . . 360 FF

From december 19 to april/11 1984, this pass sponsored by the tourist offices of Mont-Blanc district enables you to use 180 lifts in the area, and also free use of shuttle buses and regular bus services beetween resorts.
For 6 consecutive days . . . . 485 FF
For 4 consecutive days . . . . 360 FF

Diese persönliche Karte (mit Passbild) erlaubt Ihnen vom 19. Dez. bis 11 April 84 freie Benützung der 180 Bergbahnen und lifte in 13 Skistationen des Mont-Blanc, sowie Buszubringerdienste und regelmässigen Busverbindungen zwischen dieser Stationen.
Für 6 aufeinander Tage . . . . 485 FF
Für 4 aufeinander Tage . . . . 360 FF

Vert   Rouge

Bleu   Noir

Les couleurs indiquent la difficulté des pistes. Voici les couleurs pour les pistes à Chamonix en France. Est-ce que les débutants descendent les pistes vertes ou rouges? Quelles pistes descendent les experts?

Les filles sont à Valmorel. Est-ce qu'elles montent au sommet de la piste dans une télécabine ou sur un télésiège?

157

11 À la gare

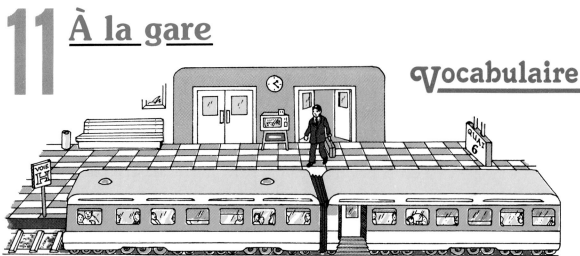

Le train part de **la voie** H, **quai numéro** six.
Le train part pour Marseille.
Le passager **sort** de **la gare**.

Le passager **dort** dans **une couchette**.

On **sert** le dîner dans **le wagon-restaurant**.

Exercice 1   Un voyage en train
Répondez.

1. Est-ce que le train part pour Marseille?
2. De quelle voie part-il? De quel quai?
3. Est-ce que le passager sort de la gare?
4. Est-ce que le passager dort dans le train?
5. Où dort-il?
6. Est-ce qu'on sert le dîner dans le train?
7. Où sert-on le dîner?

Exercice 2   On va à Marseille
Complétez.

1. Le train _____ pour Marseille.
2. Le passager _____ dans la couchette.
3. Le garçon _____ le dîner dans le wagon-restaurant.
4. Après le voyage, le passager _____ du wagon.

158

Structure

Les verbes *sortir, partir, dormir, servir* au présent

The verbs **sortir, partir, dormir,** and **servir** are irregular. Note the short forms in the singular.

Infinitive	sortir	partir	dormir	servir
Present tense	je sors	je pars	je dors	je sers
	tu sors	tu pars	tu dors	tu sers
	il/elle sort	il/elle part	il/elle dort	il/elle sert
	nous sortons	nous partons	nous dormons	nous servons
	vous sortez	vous partez	vous dormez	vous servez
	ils/elles sortent	ils/elles partent	ils/elles dorment	ils/elles servent
Imperative	Sors!	Pars!	Dors!	Sers!
	Sortons!	Partons!	Dormons!	Servons!
	Sortez!	Partez!	Dormez!	Servez!

Note that all the singular forms have the same sound in the spoken language. Note, too, that the plural forms pick up the consonant of the infinitive.

The verb **sortir** has more than one meaning. Used alone, it means *to go out.* **Sortir de** means *to leave* in the sense of *to get out of a place.* If followed by a noun, **sortir** means *to take out.*

> **Après les classes, je sors avec mes amis.**
> **Le passager sort de la gare.**
> **Le passager sort son billet de sa valise.**

The verb **partir** means *to leave.* **Partir de** means *to leave (a place)* or *to leave from (a place).* To say *to leave for (a place)* one can use either **partir à** or **partir pour.**

> **Le train part à dix heures.**   **Nous partons à (pour) Marseille.**
> **Nous partons de Paris.**

Exercice 1   En voyage
Répondez.

1. Est-ce que les passagers partent en train?
2. Partent-ils pour Marseille?
3. Sortent-ils leurs billets dans le train?
4. Dorment-ils dans le train?
5. Est-ce que les garçons servent le dîner dans le wagon-restaurant?
6. Partez-vous en voyage?
7. Partez-vous en train?
8. Partez-vous à neuf heures?

Exercice 2   Personnellement
Répondez.

1. Le matin, est-ce que tu pars pour l'école?
2. À quelle heure pars-tu?
3. Dors-tu en classe?
4. Après les classes, sors-tu de l'école?
5. Sors-tu avec un copain ou une copine?
6. Sort-il (elle) souvent?
7. Avec qui sort-il (elle)?
8. En été, part-il (elle) en vacances?

Exercice 3   On va en vacances.
Lisez la conversation et complétez.

Mlle Ferrer	À quelle heure partez-vous demain (*tomorrow*)?
Mme Leclos	Nous partons à 17 heures.
Mlle Ferrer	Vous partez en train, n'est-ce pas?
Mme Leclos	Oui, le train part de la gare de Lyon.
Mlle Ferrer	Vous allez dîner dans le train?
M. Leclos	Oui, on sert le dîner dans le wagon-restaurant. Tu pars pour Nice demain, n'est-ce pas?
Mlle Ferrer	Non, je pars après-demain. Mais je pars en avion.

1. M. et Mme Leclos _____ demain.
2. Ils _____ à dix-sept heures.
3. Ils _____ en train.
4. Leur train _____ de la gare de Lyon.
5. Dans le train, on _____ le dîner dans le wagon-restaurant.
6. Mlle Ferrer ne _____ pas demain. Elle _____ après-demain.
7. Elle _____ pour Nice en avion.

Exercice 4   Mon frère et moi
Complétez l'histoire.

Mon frère et moi, nous _____ pour l'école le matin. Nous ne _____ pas à la même heure. Moi, je _____ à sept heures et demie. Mon frère _____ à huit heures.

Nous aimons notre école. Nous aimons nos classes. Je ne _____ pas en classe. Et mon frère ne _____ pas. Après les classes nous _____ avec nos amis. Mon frère _____ avec ses amis et je _____ avec mes amis. _____-vous avec vos amis après les classes? À quelle heure _____-vous de l'école? Et à quelle heure _____-vous pour l'école le matin?

Les adjectifs démonstratifs

Study the forms of the demonstrative adjectives (*this, that, these, those*).

Masculine singular (before a consonant)	ce	ce wagon
Masculine singular (before a vowel or silent *h*)	cet	cet anorak cet homme
Feminine singular	cette	cette fille cette école
Masculine or feminine plural	ces	ces wagons ces anoraks ces filles ces écoles

Note that **ce** is used with masculine singular nouns that begin with a consonant. **Cet** is used with masculine singular nouns that begin with a vowel or a silent **h**.

Cette is used with all feminine singular nouns.

Ce, cet, and **cette** all become **ces** in the plural. Note the liaison with nouns that begin with a vowel or a silent **h**.

Since the same words can be used to mean *this* or *that* (*these* or *those* in the plural), the meaning of the demonstrative adjective is often clarified by adding **-ci** or **-là** to the noun. Look at these examples.

cette valise-ci

cette valise-là

ce chien-ci

ce chien-là

Exercice 5 Répondez.

1. Est-ce que cette fille est intelligente?
2. Est-ce que cette élève est forte en français?
3. Est-ce que cette classe est intéressante?
4. Est-ce que cet athlète est fort?
5. Est-ce que cet élève est intelligent?
6. Est-ce que ce garçon est blond?
7. Est-ce que ce disque est bon?
8. Est-ce que ce billet est pour le train?

Exercice 6 Ces filles-là aussi
Répondez d'après le modèle.

Ces filles-ci sont sportives.
Oui, et ces filles-là aussi.

1. Ces élèves-ci sont très fortes en français.
2. Ces filles-ci sont très enthousiastes pour les sports.
3. Ces élèves-ci sont dans la classe de Madame Benoît.
4. Ces garçons-ci sont bruns.
5. Ces chiens-ci sont adorables.

Exercice 7 Quelle fille?
Suivez le modèle.

Quelle fille?
Cette fille-ci.

1. Quelle élève?
2. Quel élève?
3. Quel copain?
4. Quelle classe?
5. Quel disque?
6. Quels billets?
7. Quelle voie?
8. Quelles rues?

Exercice 8 De quel quai?
Complétez avec la forme convenable de *ce*.

_____ passagers vont partir dans _____ train. Mais _____ train ne part pas de _____ quai-ci. _____ train part de _____ quai-là.

℘rononciation   ## Les lettres *ou* et *u*

Be sure to distinguish between these two sounds.

ou	*u*
tout	tu
vous	vue
d'où	du
roule	rue
pour	pur
soupe	sud
beaucoup	salut

Pratique et dictée

Salut! Vous êtes du sud?
Où est le menu pour Luc?
Tout est pur, je suis sûr!

Quelle vue de cette rue!
Il y a une boucherie et un supermarché.

Expressions utiles

À la gare

DÉPART DES TRAINS	
AVIGNON	12.20
TOURS	16.35
ORLÉANS	20.25
PARIS	10.45
NICE/CANNES	14.30

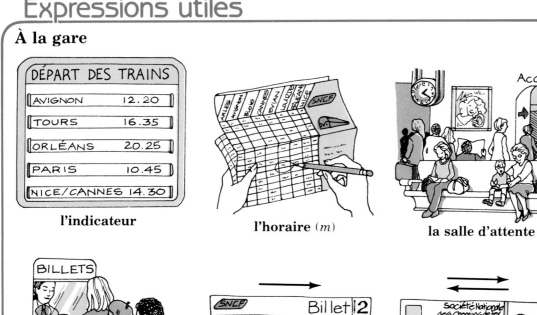

l'indicateur

l'horaire (*m*)

la salle d'attente

le guichet   la queue

le billet   un aller

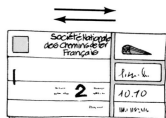

un billet aller et retour

Dans le train

le contrôleur   le compartiment

163

Conversation

À la gare

Sylvie   Marise, le train part à quelle heure?

Marise   À dix-huit heures vingt.

Sylvie   De quel quai part-il?

Marise   De ce quai-là. Le numéro six.

Sylvie   Tu vas acheter les billets maintenant?

Marise   Bonne idée! Il n'y a pas de queue au guichet.

Sylvie   Tu vas acheter les billets aller et retour?

Marise   Oui, et je vais réserver deux couchettes.

Sylvie   D'accord!

Exercice   Choisissez.

1. (Le train / L'avion) part du quai numéro six.
2. (Le quai / La piste) est dans la gare.
3. Marise va (vendre / acheter) les billets.
4. Elle va acheter les billets (au guichet / au quai).
5. Maintenant il n'y a pas de (quai / queue) au guichet.
6. Marise va réserver deux (compartiments / couchettes).

ꟼecture culturelle

Un voyage en train

Voici Jean-Luc. Il va faire un voyage. Il va à Marseille. Il va à Marseille en train. Il est maintenant à la gare de Lyon à Paris. Tous les trains qui vont au sud-est partent de la gare de Lyon.

Quand Jean-Luc arrive à la gare, il va au guichet. Il est content. Il n'y a pas de queue au guichet. Il achète un billet aller et retour en deuxième classe. Son train va partir à vingt-trois heures. Jean-Luc va passer° toute la nuit° dans le train. Il va dormir dans le train. Il réserve une couchette.

Jean-Luc fait enregistrer ses valises. Ensuite il attend dans la salle d'attente. A vingt-deux heures cinquante on annonce le départ de son train. Il va au quai numéro six. Les contrôleurs crient: «Les voyageurs pour Marseille, en voiture,° s'il vous plaît.»

Le train part à l'heure.° Un contrôleur arrive dans le compartiment. Il vérifie° les billets. Jean-Luc est fatigué.° Il dort dans la couchette. Le matin il va au wagon-restaurant. On sert le petit déjeuner° dans le wagon-restaurant. Jean-Luc commande un café au lait et des croissants. Après le petit déjeuner le train arrive à Marseille. Jean-Luc commence ses vacances d'été.

°**passer** *to spend*   °**la nuit** *the night*   °**en voiture** *all aboard*   °**à l'heure** *on time*
°**vérifie** *checks*   °**fatigué** *tired*   °**le petit déjeuner** *breakfast*

Exercice 1   Complétez.

1. Jean-Luc va faire un voyage en _____ .
2. Il va aller à _____ .
3. Il est dans la _____ .
4. Il achète un billet au _____ .
5. Il achète un billet _____ .
6. Il va dormir dans le train et il réserve une _____ .

Exercice 2   Choisissez.

1. Dans la gare Jean-Luc _____ ses valises.
   - a. fait enregistrer
   - b. vend
   - c. sort

2. Jean-Luc attend dans _____ .
   - a. le guichet
   - b. le compartiment
   - c. la salle d'attente

3. On _____ le départ de son train.
   - a. commande
   - b. regarde
   - c. annonce

4. Jean-Luc va _____ numéro six.
   - a. au quai
   - b. au guichet
   - c. au wagon

Exercice 3   Répondez.

1. Qu'est-ce que le contrôleur crie?
2. Qui vérifie les billets dans le train?
3. Où est-ce que Jean-Luc dort?
4. Où va-t-il le matin?
5. Qu'est-ce qu'on sert dans le wagon-restaurant?
6. Qu'est-ce que Jean-Luc commande?
7. Où le train arrive-t-il?

Activités

Make up a conversation with a ticket vendor at a train station. Use the following words and expressions.

- un billet aller et retour
- un aller
- ça fait combien
- à quelle heure

2 Voici un horaire.

- À quelle heure part le train numéro 112?
- De quelle gare part-il?
- Où va-t-il?
- À quelle heure arrive-t-il à Marseille?
- Est-ce que les passagers passent la nuit dans le train?

Numero du train	104	108	112
Paris-Gare de Lyon	20.45	21.03	22.36
Dijon	23.33	23.51	1.15
Lyon	2.19	3.15	4.04
Avignon	3.57	5.05	
Marseille	5.06	7.20	8.10

3 Describe what you see in the picture.

SNCF
87
indications de service (observations)

nombre total de voyageurs — renseignements tarifaires — 1080

	départ	utilisable	parcours simple	aller	retour	aller-retour (AR)	tarif	réduction %	classe	adultes	enfants			4198649
	le	à partir du	jusqu'au							nbre de voyageurs				
001800-061	*******	****	**	**	**	**	**	**	*	**	**		13-06-83	00531
8715102581	MARSEIL ST C-PARIS LYON												SUDER	140

TGV VM

	départ			arrivée										
train	date	heure		heure								famille		C
824	1406	1357		1935							spécial			
2	08	44			43		02					dame	00	**1800
												monsieur		prix perçu

RÉSERVATION

nbre de prestations annexes — fumeurs — non fumeurs — repas à la place — n° de voiture — fenêtre (coin) / supérieur — milieu (place) / médian — couloir (coin) / inférieur — assises — nombre de suppléments — couchettes — single — double / lits — T2 — T3-T4 — nombre de réductions — compartiments communicants

classe — numéros des places attribuées — nombre de places attribuées

I.P.M.I. 82106 - R.2.1.1106

7.016.10

Voici un billet pour aller de Marseille à Paris. A quelle heure le train part-il de Marseille? A quelle heure arrive-t-il à Paris? Le billet est pour deux places. Quels sont les numéros des places? Quel est le numéro de la voiture?

Horaires Nice ↔ Marseille ↔ Paris

TGV Gagnez encore du temps sur le temps. SNCF

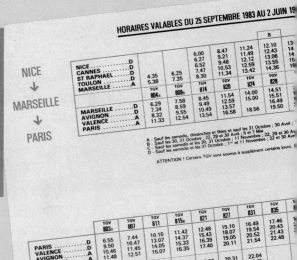

HORAIRES VALABLES DU 25 SEPTEMBRE 1983 AU 2 JUIN 19..

NICE → MARSEILLE → PARIS

					B		
NICE ......D			6.00	8.47	11.24	12.10	13..
CANNES ......D			6.27	9.21	11.49	12.43	14..
ST RAPHAEL ......D			6.52	9.48	12.12	13.06	13.55
TOULON ......D	4.35	6.25	7.47	10.53	12.59	13.42	14.36
MARSEILLE ......A	5.38	7.35	8.30	11.34			
	TGV 804A	TGV 808B	TGV 814	TGV 820	TGV 824		TGV 828
MARSEILLE ......D	6.29	7.58	8.45	11.54	14.00		14.51
AVIGNON ......D	7.34	8.59	9.49	12.59	15.00		15.51
VALENCE ......D	8.32	9.55	10.49	13.57	18.56		16.49
PARIS ......A	11.33	12.54	13.54	16.58			19.50

A. Sauf les samedis, dimanches et fêtes et sauf les 31 Octobre ; 30 Avril ; 6 et 7 Mai.
B. Sauf les 30, 31 Octobre ; 22, 29 et 30 Avril ; 11 Novembre ; 22, 29 et 30 A...
C. Sauf les samedis et les 30, 31 Octobre ; 11 Novembre ; 22 et 30 Avril.
D. Sauf les samedis et les 31 Octobre, 1er et 11 Novembre ; 22 et 30 Avril...

ATTENTION ! Certains TGV sont soumis à supplément certains jours...

	TGV 803A	TGV 807	TGV 811	TGV 815B	TGV 821	TGV 827	TGV 831	TGV 835
PARIS ......D	6.55	7.44	10.10	11.42	12.48	15.10	16.49	17.46
VALENCE ......D	9.50	10.47	11.45	14.37	15.43	18.07	19.54	20.43
AVIGNON ......A	10.46	11.45	14.05	15.33	16.39	19.05	20.52	21.43
MARSEILLE ......A	11.48	12.51	15.07	16.35	17.40	20.11	21.54	22.48
MARSEILLE ......D	12.08	13.17	15.18	16.48	17.57	20.31	22.04	
TOULON ......A	13.16	14.00	16.03	17.29	18.37	21.13	22.45	
ST RAPHAEL ......A		14.50	16.56	18.14	19.29	22.01	23.32	
CANNES ......A		15.17	17.22	18.37	19.53	22.24	23.56	
NICE ......A		15.48	18.00	19.02	20.18	22.52	0.23	

Le TGV (Train à Grande Vitesse) est un train très rapide. Le TGV fait le trajet Marseille-Paris en cinq heures. Voici l'horaire du TGV. Le train qui part de Marseille à 11 h 54 arrive à Paris à quelle heure?

La Gare du Nord à Paris
Quels trains partent de la Gare du Nord, les trains qui vont vers le nord ou les trains qui vont vers le sud? De quelle gare partent les trains qui vont vers le sud?

Voici la gare à Nice. Le train qui va partir à dix heures cinq va à Ventimiglia sur la frontière italienne. Sur quel quai est-ce que les passagers attendent le train?

Voici l'intérieur du TGV. Est-ce qu'on sert le dîner dans la voiture? Est-ce que les passagers vont au wagon-restaurant?

12 Au bord de la mer

Une station balnéaire

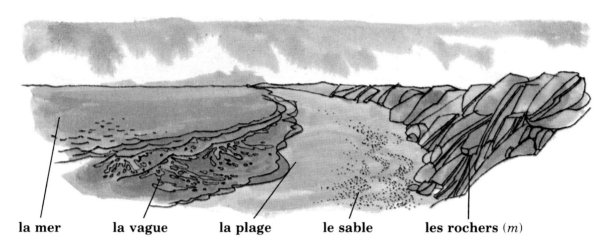

la mer   la vague   la plage   le sable   les rochers (*m*)

Tout le monde est à la plage.
Les uns prennent un bain de soleil.
Les autres prennent **un bain de mer.**

Exercice 1   Une station balnéaire
Répondez.

1. Est-ce que tout le monde est à la plage?
2. On va à la plage en été ou en hiver?
3. Les gens prennent des bains de soleil
   à la plage?
4. Prennent-ils des bains de mer?
5. Est-ce qu'il y a des vagues dans la mer?
6. Est-ce qu'il y a du sable sur la plage?
7. Est-ce que les rochers sont dangereux?

170

**faire du ski
nautique**

**faire de la plongée
sous-marine**

**faire de la planche
à voile**

plonger

nager

Gisèle est à **la
piscine.**

Elle **porte un
maillot.**

Elle a de **la lotion
solaire.**

Exercice 2 À la plage
Choisissez.

1. Jean est à la plage.
   a. Il porte un anorak.
   b. Il porte un maillot.
   c. Il porte des bottes.

2. Je voudrais nager.
   a. Je vais aller à la mer.
   b. Je vais aller sur les rochers.
   c. Je vais aller à la montagne.

3. Aujourd'hui il y a beaucoup de soleil.
   a. Oui, où est le sable?
   b. Oui, où est ma lotion solaire?
   c. Oui, où est mon bâton?

4. Nice est sur la mer.
   a. Nice est une station de sports d'hiver.
   b. Nice est une piscine.
   c. Nice est une station balnéaire.

5. Regardez les vagues.
   a. J'adore le sable.
   b. J'adore la mer.
   c. J'adore la piscine.

Exercice 3 Qu'est-ce que tu vas faire?

1. Je vais...   2. Je vais...   3. Je vais...   4. Je vais...   5. Je vais...

Structure

Les verbes *prendre, comprendre, apprendre* au présent

Study the forms of the irregular verb **prendre**.

Infinitive	prendre
Present tense	je prends
	tu prends
	il/elle prend
	nous prenons
	vous prenez
	ils/elles prennent

The singular forms of the verb **prendre** follow the same pattern as a regular -**re** verb. Pay particular attention to the spelling and pronunciation of the plural forms. The **nous** and **vous** forms have one **n** and the **ils/elles** form has a double **nn**.

Prendre usually means *to take*, but with foods and beverages it means *to have*.

> **Je prends du lait.**
> **Je vais prendre un sandwich.**

Two other verbs that are conjugated like **prendre** are **apprendre** and **comprendre. Apprendre** means *to learn*. It is followed by **à** when the meaning is *to learn how to do something*.

> **J'apprends le français à l'école.**
> **Nous apprenons à faire de la plongée sous-marine.**

The verb **comprendre** means *to understand*.

> **Comprenez-vous le français?**
> **Bien sûr! Je comprends très bien le français.**

Exercice 1   Gisèle va à la plage.
Répondez.

1. Est-ce que Gisèle prend son maillot pour aller à la plage?
2. Prend-elle aussi de la lotion solaire?
3. Sur la plage, prend-elle un bain de soleil?
4. Prend-elle aussi un bain de mer?

Exercice 2 Apprends-tu à nager?
Répondez.

1. À la plage, apprends-tu à nager dans la mer?
2. Apprends-tu à faire du ski nautique?
3. Apprends-tu à faire de la plongée sous-marine?
4. Apprends-tu à faire de la planche à voile?

Exercice 3 Au café.
Vous êtes au café. Demandez à vos amis ce qu'ils prennent.

1. Thérèse, qu'est-ce que tu _____?

3. Aline,...

2. André,...

4. Simon,...

Exercice 4 Au café
Pratiquez la conversation. Vous pouvez employer ces mots:

du café   un sandwich   de l'eau minérale
des gâteaux   un coca

— Qu'est-ce que vous prenez, mes amis?
— Nous prenons _____ .
— Et vous, qu'est-ce que vous prenez?
— Nous prenons _____ .

Exercice 5 Mes amis sont sportifs.
Suivez le modèle.

Mes amis apprennent à nager.

1.   2.   3.   4.

Exercice 6 Au bord de la mer
Complétez.

Quand je vais à la plage, je _____ (prendre) toujours de la lotion solaire.
Pourquoi ça? Moi, j'adore le soleil et je _____ (prendre) des bains de soleil. J'aime
bien aller à la plage en été avec mes copains. Mon ami Richard, il _____ (prendre)
des bains de mer. Il nage très bien. Annette et Carole _____ (apprendre) à faire de
la planche à voile. Elles sont très sportives et elles _____ (apprendre) très vite.
Moi, je ne _____ (comprendre) pas ça. Je trouve la planche à voile très difficile. Je
tombe toujours et je commence à rouler avec les vagues. Je sors de la mer, le
maillot rempli (*full*) de sable.

Après trois heures (*hours*) à la plage, nous allons au café. Au café nous parlons
et nous _____ (prendre) un coca, une limonade ou de l'eau minérale.

Les pronoms accentués

Compare the stress pronouns and the subject pronouns.

Stress pronouns	Subject pronouns	
moi	je	Moi, je suis américain(e).
toi	tu	Toi, tu es français(e).
lui	il	Lui, il nage beaucoup.
elle	elle	Elle, elle fait du ski nautique.
nous	nous	Nous, nous allons toujours à la plage.
vous	vous	Vous, vous allez au café.
eux	ils	Eux, ils prennent un coca.
elles	elles	Elles, elles prennent une limonade.

The stress or emphatic pronouns are used in several ways in French:

1. After a preposition (**à, avec, pour, chez,** etc.)

> **On va chez lui, pas chez elle.**
> **Elle va nager avec nous.**
> **La fête est pour eux.**

2. In a short sentence when the verb is omitted.

> **Qui nage? Moi!**
> **Qui prend un bain de soleil? Elle!**

3. To reinforce or to emphasize the subject pronoun.

> **Moi, j'aime beaucoup faire de la planche à voile.**
> **Lui, il déteste faire de la planche à voile.**

4. Before and after the words **et** or **ou**.

> **Marie et moi, nous allons à la plage.**
> **Qui fait du ski nautique? Vous ou eux?**

5. After **c'est** or **ce n'est pas**.

> **Carole, c'est toi? Oui, c'est moi.**
> **C'est Jean-Luc? Oui, c'est lui.**
> **C'est Marie-France? Non, ce n'est pas elle.**

Exercice 7 On aime les sports d'été.
Répondez d'après le modèle.

Est-ce que tu aimes nager?
Moi, oui! J'adore nager.

1. Est-ce que tu aimes aller à la plage?
2. Est-ce qu'il aime faire du ski nautique?
3. Est-ce qu'elles aiment faire de la plongée sous-marine?
4. Est-ce que vous aimez nager?

Exercice 8 Une surprise-partie
Complétez.

1. Est-ce que tu vas donner une surprise-partie pour Louise?
   Oui, je vais donner une surprise-partie pour _____ .
2. Qui va préparer la fête? Toi?
   Oui, c'est _____ qui vais préparer la fête.
3. Et qui va faire les courses? Toi ou Pierre?
   Non, pas _____ . C'est _____ qui va faire les courses.
4. Est-ce que Louise va arriver avec ses amis?
   Oui, elle va arriver avec _____ .
5. Est-ce que tu vas donner la fête dans un restaurant ou chez toi?
   Pas dans un restaurant. Je vais donner la fête chez _____ .

Prononciation

Nasal *n*	Liaison
en France	en_avion
un train	un_accident
on danse	on_achète
mon billet	mon_ami
ton vol	ton_anorak
son voyage	son_appartement

Pratique et dictée

On arrive à mon appartement pour une fête.
C'est ton anniversaire?
Paul est son ami, n'est-ce pas?

C'est un athlète formidable!
Nous achetons nos billets en avance.
C'est un avion rapide.

Conversation

Allons à la plage!

Robert	Il fait très chaud. Allons à la plage!
Georges	Bonne idée! Tu as ton maillot?
Robert	Oui.
Georges	Moi, je vais faire de la planche à voile.
Robert	Toi, tu es toujours un casse-cou.
Georges	Écoute! La planche à voile est très facile.
Robert	Pour toi! Pas pour moi! Moi, je vais prendre un bain de soleil.
Georges	Chacun à son goût.

Exercice 1 Choisissez.

1. Les deux copains vont _____ .

   a. à la plage
   b. à la montagne
   c. à la piscine

2. Ils vont à la plage parce qu' _____ .

   a. il y a beaucoup de neige sur les pistes
   b. il n'y a pas de soleil
   c. il fait très chaud

3. Le casse-cou va _____ .

   a. prendre un bain de soleil
   b. remonter la vague
   c. faire de la planche à voile

Exercice 2 Répondez.

1. Quel temps fait-il?
2. Où vont les deux amis?
3. Qu'est-ce qu'ils portent?
4. Qui est un vrai casse-cou?
5. Qu'est-ce qu'il va faire?
6. Et Robert, qu'est-ce qu'il va faire?

Le mois d'août au bord de la mer

Au mois d'août beaucoup de Français quittent* leurs villes pour aller en vacances. Ils partent en voiture,* en train ou en avion. Ils vont à la montagne ou au bord de la mer. Le mois d'août est le mois des vacances en France.

Beaucoup de gens* vont sur la Côte d'Azur, sur la mer Méditerranée. Sur toute la côte il y a beaucoup de stations balnéaires. En été il fait très beau et le soleil brille fort dans le ciel bleu. Les plages de la Côte d'Azur sont fantastiques. Il y a toujours beaucoup d'activité.

Les jeunes gens* font de la planche à voile. Comme* toujours il y a des experts et des débutants. Quand le vent est fort, la planche glisse* très vite sur les vagues et les débutants tombent. Mais ce n'est pas grave.

Voici une experte. Est-ce qu'elle nage? Non, elle ne nage pas. Elle fait de la plongée sous-marine? Non plus. Elle fait du ski nautique. Elle skie très bien.

Voici Gilbert. Lui, il n'aime pas les sports. Pas de problème! Chacun à son goût! Il prend des bains de soleil. Comme* tout le monde, Gilbert rentre* chez lui très bronzé* après un mois extra* au bord de la mer sur la Côte d'Azur.

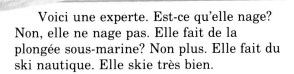

*quittent *leave*	*voiture *car*	*les gens *people*	*les jeunes gens *young people*
*Comme *As*	*glisse *glides*	*Comme *Like*	*rentre *returns*	*bronzé *tanned*
*extra *super, terrific*			

Exercice Corrigez.

1. Les Français n'aiment pas les vacances.
2. Le mois de juin est le mois des vacances en France.
3. Tout le monde part en voiture pour aller en vacances.
4. La Côte d'Azur est sur la côte Atlantique.
5. Sur la côte de la mer Méditerranée il y a beaucoup de stations de sports d'hiver.
6. En été il fait assez froid sur la Côte d'Azur.
7. La planche à voile est un sport d'hiver.
8. Quand il y a un vent assez fort, les experts tombent de la planche.
9. Quand le vent est fort, la planche à voile glisse très vite sur la neige.
10. On porte des bottes et un anorak pour faire du ski nautique.
11. Les gens qui aiment regarder les poissons dans la mer font du ski nautique.

Activités

1 Une interview

- Où habitez-vous?
- Habitez-vous près du bord de la mer?
- Est-ce qu'il y a des stations balnéaires près de votre ville?
- Aimez-vous les sports nautiques?
- Quels sports nautiques aimez-vous?

2 Devinez. Qu'est-ce que je suis?

- J'ai des vagues.
- J'ai du sable.
- Je suis bleu.
- Je glisse sur la mer.

3 Describe what you see in the illustration.

galerie vivante

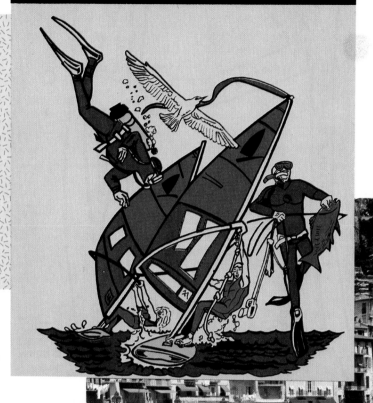

Voici de la publicité pour un magasin à Paris. Où est le magasin? Est-ce qu'on vend l'équipement pour la plongée sous-marine dans le magasin?

Villefranche est une jolie ville de la Côte d'Azur. Est-ce que Nice est sur la Côte d'Azur aussi?

Voici la plage à Cannes. Sur la plage de Cannes, est-ce qu'il y a du sable ou des galets?

Les garçons ne sont pas sur la plage. Ils sont à Lyon. Qu'est-ce qu'ils font?

Révision

À la gare

Alain   Bonjour, Philippe. Qu'est-ce que tu fais ici?

Philippe   J'attends le train pour Marseille.

Alain   Tu vas à Marseille? Moi aussi. Quel train prends-tu?

Philippe   Je prends le train qui part à vingt-trois heures.

Alain   Bon! Moi aussi. Nous prenons le même train. Nous allons passer toute la nuit dans le train.

Exercice 1   Corrigez.

1. Alain et Philippe sont à l'aéroport.
2. Philippe attend le vol pour Marseille.
3. Alain et Philippe partent pour Lyon.
4. Les deux garçons ne prennent pas le même train.
5. Ils vont passer toute la nuit dans l'avion.

Les verbes en *-ir* et *-re*

Review the following present tense forms of regular **-ir** and **-re** verbs.

	-ir	-re
Infinitive	finir	attendre
Present tense	je finis tu finis il/elle finit nous finissons vous finissez ils/elles finissent	j'attends tu atends il/elle attend nous attendons vous attendez ils/elles attendent

Exercice 2 Qu'est-ce qu'on choisit?

Roger / un disque de jazz
Roger choisit un disque de jazz.

1. Philippe / des skis
2. Moi / un anorak
3. Alice / des skis nautiques

4. Gilbert et Claude / un petit ordinateur
5. Nous / des vacances
6. Alice et Henriette / des bottes de ski

Exercice 3 À l'aéroport
Répondez.

1. Est-ce que Ginette et Thérèse attendent l'avion?
2. Est-ce que les deux amies choisissent le même vol?
3. Thérèse entend une annonce?
4. Entend-elle l'annonce du départ de leur vol?
5. Est-ce que l'avion atterrit à l'heure exacte?

Les verbes irréguliers

Review the following present tense forms of irregular **-ir** and **-re** verbs.

partir   je pars, tu pars, il/elle part, nous partons, vous partez, ils/elles partent

sortir   je sors, tu sors, il/elle sort, nous sortons, vous sortez, ils/elles sortent

dormir   je dors, tu dors, il/elle dort, nous dormons, vous dormez, ils/elles dorment

servir   je sers, tu sers, il/elle sert, nous servons, vous servez, ils/elles servent

prendre je prends, tu prends, il/elle prend, nous prenons, vous prenez, ils/elles prennent

Exercice 4 À la gare
Complétez.

En ce moment je suis à la gare de Lyon. J'_____ (attendre) le train pour Marseille. Mon train _____ (partir) à vingt-trois heures quinze. Je vais au guichet. On _____ (vendre) les billets au guichet. J'achète un billet aller et retour.

Ah! Voilà mon amie Thérèse. Qu'est-ce qu'elle fait ici?

— Thérèse! Salut! Qu'est-ce que tu fais ici?

— J'_____ (attendre) le train pour Marseille.

— Incroyable, ça! Moi aussi! Quel train _____-tu? (prendre)

— Je _____ (prendre) le train qui _____ (partir) à vingt-trois heures quinze.

— Formidable! Nous _____ (prendre) le même train.

— De quel quai _____-il? (partir)

— Il _____ (partir) du quai numéro cinq.

Leur train _____ (partir) à l'heure. Comme elles passent toute la nuit dans le train, les deux amies _____ (dormir). À six heures du matin elles _____ (descendre) du train à Marseille.

Les adjectifs *ce, quel, tout*

Review the following forms of the adjectives **ce, quel,** and **tout.** Note that **tout** is accompanied by a definite article.

Singular		Plural	
Masculine	**Feminine**	**Masculine**	**Feminine**
quel sport	quelle piste	quels sports	quelles pistes
ce disque	cette valise	ces disques	ces valises
(cet ordinateur)			
tout le magasin	toute la classe	tous les magasins	toutes les classes

Exercice 5 **Complétez.**

1. _____ les passagers vont passer _____ la nuit dans l'avion. **tout, tout**
2. _____ sports aimes-tu? Moi, j'aime _____ les sports. Je n'ai pas de préférence. **quel, tout**
3. _____ les passagers qui prennent _____ vol vont à Montréal. **tout, ce**
4. _____ valise vas-tu prendre? Je vais prendre _____ valise. **quel, ce**
5. _____ train allons-nous prendre? **quel**
6. _____ les élèves de _____ classe vont prendre le train qui part de _____ quai. **tout, ce, ce**

Les pronoms accentués

Review the following forms of the stress pronouns. Compare them once again to the subject pronouns.

Stress	Subject
moi	je
toi	tu
lui	il
elle	elle
nous	nous
vous	vous
eux	ils
elles	elles

Exercice 6 Des vacances d'hiver
Répondez avec le pronom.

C'est **Robert** qui va aller à Montréal?
Oui, c'est lui qui va aller à Montréal.

1. C'est **Paul** qui va faire le voyage?
2. Il va avec **Ginette?**
3. Et **toi,** tu vas aller avec **Paul et Ginette?**
4. **Ginette, Paul et toi,** vous allez prendre le même vol?
5. Qui va descendre les pistes difficiles? **Toi?**
6. Et **Paul,** va-t-il descendre les pistes pour les débutants?

Lecture culturelle
supplémentaire

une maison en pierre

un immeuble en briques

un chalet en bois

La région des Alpes

Le ski est un sport très populaire en France. Les Français vont souvent faire du ski dans la région des Alpes. Dans cette région il y a des stations de sports d'hiver célèbres comme Megève et Chamonix.

Beaucoup de Français apprennent à faire du ski dans la région des Alpes. Même* les écoles en France ont des classes de neige. En hiver un groupe d'élèves va dans une station de sports d'hiver. Le matin il y a des classes. L'après-midi on apprend à faire du ski.

---

* **Même** *Even*

186

René Martin est un élève à Tours. En ce moment il est avec sa classe dans la région des Alpes. Il y a quelque chose° qui surprend° René. Il remarque° qu'il y a beaucoup de chalets en bois dans la région des Alpes. C'est assez rare en France. La plupart des° maisons en France sont en briques ou en pierre, mais dans la région des Alpes il y a aussi des maisons en bois.

Exercice 1 Vrai ou faux?

1. On ne skie pas en France.
2. Les Alpes sont des montagnes.
3. Megève et Chamonix sont des stations balnéaires.
4. Beaucoup d'élèves aux États-Unis ont des classes de neige.
5. Tours est une ville dans la région des Alpes.
6. Beaucoup de maisons en France sont en bois.

Exercice 2 Personnellement

1. Est-ce que vous avez des classes de neige dans votre école?
2. Vous trouvez que c'est une bonne idée d'avoir des classes de neige?
3. Est-ce qu'il y a beaucoup de maisons en bois près de chez vous?
4. Est-ce qu'il y a beaucoup de maisons en bois en France?

Lecture culturelle

supplémentaire

des fleurs (*f*)

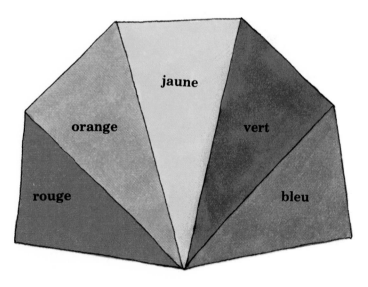

°**quelque chose** *something* °**surprend** *surprises*
°**remarque** *notices* °**La plupart des** *Most*

La Provence

La Provence, située dans le sud-est de la France, est une région ravissante.° Tout le long de la côte de la mer Méditerranée il y a des plages magnifiques. C'est la Côte d'Azur. Beaucoup de Français choisissent les plages de la Côte d'Azur pour leurs vacances d'été. Après un mois extra dans le soleil de Nice, Cannes ou Saint-Tropez, ils rentrent° chez eux bien bronzés.

La Provence est aussi une région de couleurs—le bleu du ciel et de la mer, le rouge des rochers et les mille couleurs des fleurs. Grasse, une petite ville près de la Côte d'Azur, est renommée° pour ses fleurs. Les fleurs sont bien sûr jolies mais elles sont aussi importantes. On utilise les fleurs pour faire les célèbres parfums français.

La région de Provence est riche en histoire. Beaucoup de touristes font des excursions à Arles, une ancienne ville romaine. À Arles ils visitent les arènes, un amphithéâtre romain de l'époque° de l'empereur Adrien (IIe siècle). Les arènes servent encore° aujourd'hui. Dans les arènes on donne des spectacles, surtout° des courses de taureaux.

° **ravissante** *lovely* ° **rentrent** *return*
° **renommée** *famous* ° **époque** *time*
° **encore** *still* ° **surtout** *especially* ° **courses de taureaux** *bullfights*

Exercice Choisissez la réponse.

1. Où est la Provence?

   a. Elle est au nord de Paris.
   b. Elle est dans le sud-est de la France.
   c. Elle est dans la mer des Caraïbes.

2. Qu'est-ce qu'il y a le long de la côte de Provence?

   a. Il y a des plages magnifiques.
   b. Il y a des parfums.
   c. Il y a des stations de sports d'hiver.

3. Est-ce que beaucoup de Français choisissent les plages de la Côte d'Azur pour leurs vacances d'été?

   a. Oui, ils nagent dans la mer des Caraïbes.
   b. Oui, ils nagent dans l'océan Atlantique.
   c. Oui, ils nagent dans la mer Méditerranée.

4. Où sont les villes de Nice, Cannes et Saint-Tropez?

   a. Elles sont dans le soleil.
   b. Elles sont sur la Côte d'Azur.
   c. Elles sont dans le nord-est de la France.

5. Est-ce que Grasse est une ville renommée?

   a. Oui, elle est renommée pour ses rochers.
   b. Oui, elle est renommée pour ses fleurs.
   c. Oui, elle est renommée pour le gris de son ciel.

6. Quelle est une industrie importante de Grasse?

   a. Les fleuristes.
   b. La parfumerie.
   c. La fabrication des lotions solaires.

7. Est-ce que les arènes sont anciennes?

   a. Oui, elles datent de l'époque des Romains.
   b. Oui, elles sont très modernes.
   c. Non, elles ne servent pas aujourd'hui.

8. Où donne-t-on des courses de taureaux?

   a. Seulement en Espagne.
   b. Dans les arènes d'Arles.
   c. Dans les usines de parfums à Grasse.

Verbs

Regular Verbs

	parler *to speak*	**finir** *to finish*	**vendre** *to sell*
Imperative	parle parlons parlez	finis finissons finissez	vends vendons vendez
Present	je parle tu parles il parle nous parlons vous parlez ils parlent	je finis tu finis il finit nous finissons vous finissez ils finissent	je vends tu vends il vend nous vendons vous vendez ils vendent

Verbs with Spelling Changes

acheter *to buy*	**appeler** *to call*	**commencer** *to begin*
j'achète tu achètes il achète nous achetons vous achetez ils achètent	j'appelle tu appelles il appelle nous appelons vous appelez ils appellent	je commence tu commences il commence nous commençons vous commencez ils commencent

envoyer[1] *to send*	**jeter** *to throw*	**manger** *to eat*
j'envoie tu envoies il envoie nous envoyons vous envoyez ils envoient	je jette tu jettes il jette nous jetons vous jetez ils jettent	je mange tu manges il mange nous mangeons vous mangez ils mangent

préférer
to prefer
je préfère
tu préfères
il préfère
nous préférons
vous préférez
ils préfèrent

[1] *Employer* and *payer* are conjugated similarly.

Irregular Verbs

aller
to go
je vais
tu vas
il va
nous allons
vous allez
ils vont

avoir
to have
j'ai
tu as
il a
nous avons
vous avez
ils ont

dormir
to sleep
je dors
tu dors
il dort
nous dormons
vous dormez
ils dorment

être
to be
je suis
tu es
il est
nous sommes
vous êtes
ils sont

faire
to do, to make
je fais
tu fais
il fait
nous faisons
vous faites
ils font

partir
to leave
je pars
tu pars
il part
nous partons
vous partez
ils partent

prendre[2]
to take
je prends
tu prends
il prend
nous prenons
vous prenez
ils prennent

servir
to serve
je sers
tu sers
il sert
nous servons
vous servez
ils servent

sortir
to go out
je sors
tu sors
il sort
nous sortons
vous sortez
ils sortent

[2] *Comprendre* and *apprendre* are conjugated similarly.

Fʀᴇɴᴄʜ-Eɴɢʟɪsʜ Vᴏᴄᴀʙᴜʟᴀʀʏ

The French-English vocabulary contains all the words and expressions that appear in this text. Words and expressions that were presented in the *Vocabulaire* or *Expressions utiles* sections are followed by the number of the lesson in which they were presented. Words and expressions presented in the preliminary lessons are followed by the letter of the preliminary lesson. Words and expressions that are not followed by a number or a letter appear in readings, optional readings, or activities where they were glossed, or are obvious cognates.

A

à in, to *C*; at, on *G*
à bord on board
à bientot see you soon *C*
à destination de bound for
à l'avance in advance
à pied on foot *6*
à point medium (steak) *6*
à tout à l'heure see you in a while *C*
l'accent (*m*) accent
accentué, -e stressed, accented
le pronom accentué (*m*) stress pronoun
accepté, -e accepted
l'accident (*m*) accident
l'accord (*m*) agreement
acheter to buy *8*
l'activité (*f*) activity *A*
l'addition (*f*) check (restaurant) *6*
l'adjectif (*m*) adjective
adorable adorable
adorer to adore, to love *5*
aérien, -ne aerial *9*
la ligne aérienne (*f*) airline *9*
aérobic aerobic
l'aéroport (*m*) airport *9*
affectueusement affectionately
africain, -e African
l'Afrique Africa
l'âge (*m*) age *7*
agréable nice, pleasant
aider to help *9*
aigu, -ë acute
aimer to like, to love *5*
à l'heure on time

aller to go *6*
tout va bien all is well
ça va I'm fine
ça va? how are you? *B*
l'aller (*m*) one-way ticket *11*
aller et retour (*m*) round-trip ticket *11*
alors then, so *3*
l'alphabet (*m*) alphabet
américain, -e American *1*
l'ami, -e boy friend, girl friend *2*
l'amphithéâtre (*m*) amphitheater
l'an (*m*) year *7*
ancien, -ne ancient
anglais (*m*) English
faire de l'anglais to study English *8*
l'année (*f*) year
l'anniversaire (*m*) birthday *5*
l'annonce (*f*) announcement
l'anorak (*m*) ski jacket *10*
l'appartement (*m*) apartment *7*
apprendre to learn *12*
apprendre à to learn how *12*
après after *G*
après-demain the day after tomorrow
l'après-midi (*m*) afternoon *G*
de l'après-midi in the afternoon *G*
les arènes (*f*) ancient Roman amphitheater
l'argent (*m*) money *8*
l'arrivée (*f*) arrival
arriver to arrive *5*
l'arrondissement (*m*) section of Paris

l'art (*m*) art
l'article (*m*) article
l'article défini definite article
l'article indéfini indefinite article
assez enough *4*
l'atelier (*m*) studio *7*
Atlantique Atlantic
attendre to wait for *10*
attention! careful!
faire attention (à) to watch out for *8*
atterrir to land *9*
au (à + le) *6*
au contraire on the contrary *3*
au moins at least
au revoir good-bye *C*
aujourd'hui today *F*
aussi also *2*
autre other
aux (à + les) *6*
avance advance
à l'avance in advance
avant before
avec with *6*
l'avion (*m*) airplane *9*
en avion by airplane
avoir to have *7*

B

les bagages (*m*) baggage *9*
la baguette loaf of French bread *8*
le bain bath *12*
le bain de soleil sunbathing *12*
le bain de mer swimming in the ocean *12*
balnéaire of, pertaining to bathing *12*

192

la station balnéaire
seaside resort *12*
la banlieue suburb *18*
la banque bank
le bâton ski pole *10*
beau, bel, belle, beaux
handsome, pretty *13*
Il fait beau it is nice
(weather) *5*
beaucoup a lot, many,
much *5*
bien very *8;* well *B*
bien affectueusement
very affectionately
bien cuit well-done
(steak) *6*
bien sûr of course
bientôt soon
à bientôt see you soon
C
bienvenu, -e welcome
le billet ticket *9*
le billet aller et retour
(*m*) round-trip ticket
11
la biologie biology
blague joke
sans blague no kidding
4
blesser to wound
bleu, -e blue
blond, -e blond *1*
le bois woods, forest
la boîte box; can (foods) *8*
bonjour hello
bonsoir good evening
bon voyage! have a good
trip! *9*
le bord side *12*
à bord on board
au bord de la mer at
the seashore *12*
la botte boot
la botte de ski ski boot
10
le boucher, la bouchère
butcher *8*
la boucherie butcher shop
8
le boulanger, la boulangère
baker *8*
la boulangerie bakery *8*
la boule ball *10*
la boule de neige
snowball *10*
le bout end
la bouteille bottle

brillant, -e sparkling
briller to shine *5*
la brioche type of bun
la brique brick
brun, -e dark-haired *1*

C

ça that *2*
ça fait combien? how
much does that cost?
ça va I'm fine
ça va? how are you? *B*
où ça? where's that?
le café coffee
le café au lait coffee
with milk
le Canada Canada
canadien, -ne Canadian
9
la carotte carrot
la carte card *9*
**la carte
d'embarquement**
boarding pass *9*
le casse-cou daredevil
ce, cet, cette, ces this,
that, these, those *11*
ce... -ci this *11*
ce... -là that *11*
ce soir tonight
célèbre famous
c'est it is, that is *D*
c'est ça that's right *2*
c'est chouette that's
neat *2*
c'est dommage that's
too bad *5*
c'est l'essentiel that's
the important thing *2*
chacun each one
chacun à son goût to
each his own
la chaîne channel
(television)
le chalet chalet, mountain
cabin
la chance luck
bonne chance! good
luck!
changer (de) to change
la chanson song *5*
chanter to sing *5*
chaque each
charmant, -e charming,
cute

le chat cat *7*
chaud, -e warm *13*
il fait chaud it is warm
(weather)
cher, chère expensive;
dear *8*
moins cher less
expensive
chez at the house of *8*
le chien dog *7*
choisir to choose *9*
chouette neat, cool *2*
c'est chouette that's
neat *2*
le ciel sky *5*
le cinéma movie theater
circonflexe circumflex
(accent)
clair, -e clear, light
la classe class *4*
deuxième classe
second class *11*
le coca cola
le collège junior high school
combien (de) how many,
how much *7*
**à combien est
(sont)** what is the
price of
comble full
commander to ask for,
to order *6*
comme like, as
**comme ci comme
ça** so-so *6*
comment how *3*
le compartiment
compartment (in a train)
11
complet, -ète complete
complètement completely
compléter to complete
comprendre to
understand *12*
compris, -e included
le comptoir counter *9*
le concert concert
la condition condition
les conserves (*f*) **en boîtes**
canned foods *8*
considérer to consider
content, -e happy,
pleased, content *2*
le contraire contrary
au contraire on the
contrary *3*
contre against

eux them *12*
exact, -e exact
excellent, -e excellent
l'excursion (*f*) excursion
l'exercice (*m*) exercise
l'expérience (*f*) experience
l'expert (*m*) expert
expliquer to explain
l'expression (*f*) expression
exquis, -e exquisite
l'extérieur (*m*) exterior
  à l'extérieur outside
extra super

F

la fabrication manufacture
facile easy *4*
faible weak *3*
faire to do, to make *8*
  faire attention to pay attention *8*
  faire de la guitare to play the guitar *8*
  faire de l'anglais to study English *8*
  faire de la photographie to go in for photography *8*
  faire de la planche à voile to windsurf *12*
  faire de la plongée sous-marine to scuba dive, to go snorkeling *12*
  faire du français to study French *8*
  faire du piano to play the piano *8*
  faire du ski to go skiing *10*
  faire du ski nautique to water-ski *12*
  faire du sport to go in for sports *8*
  faire du volley to play volleyball
  faire enregistrer to check (baggage) *9*
  faire des courses to go shopping *8*
  faire un voyage to take a trip *8*
  il fait... (used with weather expressions) *5*
la famille family *7*

fantastique fantastic *2*
fatigué, -e tired
faux, fausse false
féminin, -e feminine
fermé, -e closed
la fête party; saint's day *5*
la fille daughter *7;* girl *1*
le film movie
le fils son *7*
fini, -e finished
finir to finish *9*
la fleur flower
former to form
formidable terrific, great *5*
fort, -e strong *3*
la fraise strawberry *8*
le franc unit of French currency
le français French *4*
  faire du français to study French *8*
Français, -e French person
français, -e French *1*
le frère brother *3*
froid, -e cold *10*
  il fait froid the weather is cold *10*
la frontière border
le fruit fruit *8*

G

le garçon boy *D;* waiter *6*
la gare train station *11*
généralement generally
les gens (*m*) people
glisser to slide
grand, -e tall, big, wide *1*
la grand-mère grandmother
le grand-père grandfather
les grands-parents (*m*) grandparents
grave serious
gris, -e gray
le guichet ticket window *10*
le guide guidebook
  le guide téléphonique telephone book
la guitare guitar *8*
  faire de la guitare to play the guitar *8*

H

habiter to live *5*
le haricot bean *8*
  les haricots verts green beans *8*
hélas! alas!
l'heure (*f*) hour *G*
  à l'heure per hour
  à quelle heure? at what time? *G*
  à tout à l'heure see you in a while *C*
  quelle heure est-il? what time is it? *G*
l'histoire (*f*) history; story
l'hiver (*m*) winter *10*
l'honneur (*m*) honor
  en l'honneur de in honor of
l'horaire (*m*) timetable *11*
huit eight *E*
hygiénique sanitary
  le papier hygiénique toilet paper *8*

I

ici here
l'idée (*f*) idea
il (*subj. pronoun*) he, it *1*
  il est... heures it is ... o'clock *G*
  il fait it is (with weather expressions) *5*
l'île (*f*) island *5*
l'illustration (*f*) illustration
ils (*subj. pronoun*) they *3*
il y a there is, there are *7*
immédiat, -e immediate
l'immeuble (*m*) apartment house *7*
impatient, -e impatient
l'impératif (*m*) command form of a verb
important, -e important
l'impression (*f*) impression
incroyable! unbelievable! *4*
  incroyable mais vrai unbelievable but true! *4*

indéfini, -e indefinite
l'article indéfini
indefinite article
l'indicateur (*m*) arrivals/
departures board *9*
l'industrie (*f*) industry
l'infinitif (*m*) infinitive
l'influence (*f*) influence
intelligent, -e intelligent
1
intéressant, -e
interesting *2*
l'interrogation (*f*)
questioning
l'interview (*f*) interview
l'inversion (*f*) inversion
l'invitation (*f*) invitation
l'Italie (*f*) Italy
italien, -ne Italian

J

ne... jamais never *16*
jaune yellow *14*
le jazz jazz *5*
je (*subj. pronoun*) I *2*
le jour day
jusqu'à up to, until

K

le kilo kilo *8*

L

l' (*def. article*) (*m, f*) the *1*
la (*def. article*) the *1*
là there
là-bas over there (in
the distance) *D*
laisser to leave *6*
le lait milk *8*
le latin Latin
le (*def. article*) the *1*
la lecture reading
le légume vegetable *8*
**marchand(e) de
légumes** greengrocer
les (*def. article*) the *3*
la lettre letter (alphabet)
leur, leurs their *9*
lieu; avoir lieu to take
place
la ligne line *9*
la ligne aérienne
airline *9*
la limonade lemon soda

la livre pound *8*
le livre book
le long de along
long, -ue long *16*
la longueur length
la lotion lotion *12*
la lotion solaire
suntan lotion *12*
le lycée secondary school *1*

M

ma (*f*) my *9*
madame Mrs. *A*
mademoiselle Miss *A*
le magasin store *8*
le magazine magazine
magnifique magnificent
2
le maillot bathing suit *12*
maintenant now
mais but *4*
mais non no! *3*
mais si yes! *4*
la maison house
mal badly *B*
pas mal not bad
malheureusement
unfortunately
le marchand, la marchande
merchant *8*
**marchand(e) de
légumes** greengrocer
le marché market *8*
martiniquais, -e of or
from Martinique
masculin, -e masculine
les mathématiques (*f*)
mathematics
les maths (*f*) math
le matin (*m*) morning *G*
du matin A.M., in the
morning *G*
mauvais bad
mélancolique sad
même same
le menu menu *6*
la mer sea *5*
le bain de mer a swim
in the ocean *12*
au bord de la mer at
the seashore *12*
merci thank you *D*
la mère mother *7*
merveilleux, -euse
marvelous *5*
mes (*pl*) my *9*

le mètre meter
midi noon *G*
le Midi the south of
France
mille thousand
minéral, -e, -aux mineral
8
l'eau minérale (*f*)
mineral water *8*
minuit midnight *G*
le modèle model
moderne modern
moi me *12*
moi aussi me too
moins (with time) . . .
minutes to . . . *G*
moins less, minus *10*
au moins at least
**il fait moins deux
degrés** it is two
degrees below zero *10*
le mois month
le moment moment
en ce moment at this
time
mon, ma, mes my *9*
le monde world
tout le monde
everyone *2*
**le moniteur, la
monitrice** ski
instructor *10*
monsieur (*m*) Mr. *A*
le mont (*m*) mount,
mountain *10*
la montagne mountain *10*
monter to climb, to go up
10
la montre watch
montrer to show *9*
muet, -te silent
la musique music

N

nager to swim *12*
la nation nation
nautique nautical *12*
le ski nautique water
skiing *12*
ne (n') not *2*
ne... pas not *2*
la négation negative
la neige snow *10*
la boule de neige
snowball *10*
neiger to snow *10*

n'est-ce pas isn't that so? *2*

le nombre number *E*

nombreux, -euse numerous

nommer to name

non no *2*

non plus no more, no longer

le nord north

nos our *9*

notre, nos our *9*

nous (*subject*) we *4* (*object*) us *24*

la Nouvelle Écosse Nova Scotia

la nuit night

le numéro number *11*

O

l'océan (*m*) ocean

l'œuf (*m*) egg

oh là là dear me *2*

l'omelette (*f*) omelette

on (*indefinite pronoun*) they, people, we, you, one *9*

orange orange (color) *14*

l'ordinateur (*m*) computer *9*

organisé, -e organized

ou or

où where

où ça? where's that?

oui yes *B*

ouvert, -e open

P

le pain bread *8*

la panne breakdown

en panne out of order

le papier paper

le papier hygiénique toilet paper *8*

par by *9*

par contre on the contrary

par exemple for example

le parachute parachute

le parapluie umbrella *16*

le parc park *10*

pardon! excuse me!

le parent parent

parfait, -e perfect

le parfum perfume

parler to speak *5*

le partitif partitive

partir to leave *11*

partir à to leave for (a place) *11*

partir de to leave (from) (a place) *11*

partir pour to set out, leave for (a place) *11*

partout everywhere

pas not

pas de problème! no problem!

pas du tout not at all *3*

pas mal not bad *B*

le passager, la passagère passenger *9*

le passeport passport *9*

passer to spend *9*

patiner to ice skate *10*

la patinoire skating rink *10*

la pâtisserie pastry shop; pastry *8*

le pâtissier, la pâtissière pastry chef *8*

pauvre poor

pendant during *5*

perdre to lose *10*

le père father *7*

perfectionner to improve

la personne person

personnel, -le personal

petit, -e small *1*

le petit déjeuner breakfast

un peu little

un peu plus a little more

la phrase sentence

la photographie photography

faire de la photographie to take photographs *8*

le piano piano *8*

faire du piano to play the piano *8*

la pièce room *7*

le pied foot *19*

à pied on foot *6*

la pierre rock

la piscine pool *12*

la piste ski slope *10*

pittoresque picturesque

la pizza pizza

la place place *9*

la plage beach *12*

la planche à voile sailboard *12*

faire de la planche à voile to go windsurfing *12*

la plongée diving

la plongée sous-marine scuba, snorkeling *12*

faire de la plongée sous-marine to snorkel *12*

plonger to dive *12*

la plupart most

le pluriel plural

plus more *13*

de plus more *4*

plusieurs many

le poisson fish *8*

la poissonnerie fish store *8*

le poissonnier, la poissonnière fish merchant *8*

la pomme apple *18*

pommes frites french fries *6*

populaire popular *2*

la porte gate *9*

porter to wear *12*

le porteur porter *9*

poser to ask

la position position

le poulet chicken

pour for *3*

partir pour to set out for *11*

le pourboire tip *6*

pourquoi? why? *4*

pourquoi pas? why not? *4*

pousser to push

pratiquer to practice

la préférence preference

préliminaire preliminary

le premier first (dates) *F*

premièrement in the first place

prendre to take *12*

prendre un bain de soleil to sunbathe *12*

préparer to prepare *5*

près de near

le présent present

presque almost
Prince Édouard (l'île du)
Prince Edward Island
le problème problem
prochain, -e next
le prof teacher
le professeur teacher
le pronom pronoun
prononcer to pronounce
la prononciation
pronunciation
la province province
la publicité publicity,
commercial
pur, -e pure

Q

le quai platform *11*
la qualité quality
quand when *14*
quand même anyway,
still
le quart quarter *G*
le quartier neighborhood
quel, quelle, quels,
quelles what, which
10
Quelle est la date?
What is the date? *F*
Quelle heure est-il?
What time is it? *G*
Quel temps fait-il?
What is the weather
like? *5*
quelque chose something
qu'est-ce que what *5*
qu'est-ce que c'est?
what is it
la question question
la queue line
faire la queue to stand
in line *11*
qui who
qui ça? who's that? *D*
qui est-ce? who is it?
D
quitter to leave
quoi what

R

la radio radio
la raison reason
rapide rapid
ravissant, -e lovely
regarder to look at *5*

la région region
régulier, -ière regular
la religion religion
remarquer to remark
remonter to go up again
rempli, -e full
renommé, -e renowned
rentrer to return
répondre to reply, to
answer *10*
répondre à to answer
10
la réponse response
réserver to reserve *5*
le restaurant restaurant *6*
le rez-de-chaussée ground
floor *7*
la rive bank (of a river)
le rocher rock, boulder *12*
rouge red *14*
rouler to roll
RSVP (Répondez, s'il
vous plaît) please
respond
la rue street

S

sa his, her, its *9*
le sable sand *12*
saignant, -e rare *6*
la salade salad *5*
la salle room
salle à manger dining
room
salle d'attente waiting
room *11*
salle de séjour living
room
salut hi *A*
le sandwich sandwich *5*
sans without
sans blague! no
kidding! *4*
sans doute without a
doubt
la santé health *6*
le savon (*m*) soap *8*
la science science
secondaire secondary
le séjour living room
la semaine week
septième seventh
le service service
servir to serve *11*
ses (*possessive*
pronoun) his, her, its *9*

seul, -e alone *6*
tout seul all alone *6*
seulement only
si if *18*
s'il vous plaît please
sincère sincere *2*
le singulier singular
situé, -e situated
le ski skiing *10*
faire du ski nautique
to water-ski *12*
skier to ski
le skieur, la skieuse skier
10
la sœur sister *3*
le soir evening *6*
ce soir tonight
du soir in the evening,
P.M. *G*
solaire solar *12*
la lotion solaire suntan
lotion *12*
le soleil sun *5*
le bain de soleil
sunbath *12*
le sommet summit *10*
le son sound
son, sa, ses (*poss.*
pronouns) his, her, its *9*
sortir to leave, to go out
11
sortir de to go out of
11
la soupe soup
souvent often
spécial, -e special
spécialisé, -e specialized
spectacle show
le sport sport *3*
faire du sport to go in
for sports *8*
sportif, -ve athletic *3*
la station station *10*
la station balnéaire
seaside resort *12*
la station de ski ski
resort *10*
la station de sports
d'hiver winter resort
10
le steak steak *6*
la structure structure
stupide stupid
le sud south
suivre to follow
le supermarché supermarket
8

supersonique supersonic
sur on
surprendre to surprise
la surprise-partie informal party *5*
surtout especially
sympa nice *2*
sympathique nice *2*
le système system

T

ta your *9*
la table table *18*
la télé TV *5*
le téléphone telephone *5*
téléphoner to telephone *5*
téléphonique pertaining to the telephone
le guide téléphonique telephone book
le télésiège chair lift *10*
le temps weather *5*
quel temps fait-il? what's the weather like? *5*
tes your *9*
le théâtre theater
le ticket ticket *10*
toi (*stress pronoun*) you *12*
et toi? and you? *B*
tomber to fall down
ton, ta, tes your *9*
toujours always
le tourisme tourism
le, la touriste tourist
tout, toute, tous, toutes all, every, each *10*
à tout à l'heure see you soon *6*

tout de suite right away
tout le monde everyone *2*
tous les deux both
tous les matins every morning
tout seul all alone; solo *6*
le train train *11*
très very *4*
triste sad *2*
tropical, -e, -aux tropical *5*
trouver to find
tu you

U

un, une one *1*
les uns... les autres some . . . others *12*
l'usine (*f*) factory
utile useful
utiliser to use

V

les vacances (*f*) vacation
en vacances on vacation
la vague wave *12*
la valise suitcase *9*
le vendeur, la vendeuse merchant *8*
vendre to sell *10*
le vent wind *10*
il fait du vent it is windy *10*
le verbe verb
vert, -e green *14*

les haricots verts (*m*) green beans *8*
la viande meat *8*
la vie life
c'est la vie that's life
la ville city *6*
la visite visit
visiter to visit (a place)
vite hurry *10*
le vocabulaire vocabulary
voici here is *10*
la voie track *11*
voilà there is *A*
le vol flight *9*
le volley volleyball
vos your *9*
votre, vos your *9*
vouloir to want, to want to *15*
Je voudrais... I would like . . .
vous you *4*
le voyage trip *8*
faire un voyage to take a trip *8*
voyager to travel
vrai, -e true *4*
c'est vrai that's true *2*
vraiment truly
la vue view

W

le wagon car (in a train) *11*
le wagon-restaurant dining car (on a train) *11*

Y

Y there

English-French Vocabulary

The English-French vocabulary contains only active vocabulary.

A

a, an un, une *1*
a lot, many, much beaucoup *5*
accessory l'accessoire (*m*) *1*
activity l'activité (*f*) *A*
to adore, to love adorer *5*
after après *G*
afternoon l'après-midi (*m*) *G*
  in the afternoon de l'après-midi *G*
age l'âge (*m*) *7*
airline la ligne aérienne *9*
airplane l'avion (*m*) *9*
  by plane en avion *11*
airport l'aéroport (*m*) *9*
all tout, toute, tous, toutes *10*
all right d'accord *2*
alone: all alone tout seul *6*
also aussi *2*
American américain, -e *1*
and et *B*
  and you et toi *B*
to answer répondre (à) *10*
apartment l'appartement (*m*) *7*
apartment house l'immeuble (*m*) *7*
arrivals/departures board l'indicateur (*m*) *9*
to arrive arriver *5*
to ask; to ask for demander (à) *6*
at à *G*
athletic sportif, -ve *3*
attention: to pay attention faire attention *8*

B

badly mal *B*
  not bad pas mal *B*
  that's too bad c'est dommage *5*
baggage le bagage *9*

baker boulanger, -ère (*m, f*) *8*
bakery la boulangerie *8*
ball la boule *10*
bath le bain *12*
pertaining to bathing balnéaire *12*
bathing suit le maillot *12*
beach la plage *12*
bean le haricot *8*
  green beans les haricots verts (*m*) *8*
to be être *2*
before, to (minutes) moins *G*
below: it is two degrees below zero il fait moins deux degrés *10*
big grand, -e *1*
birthday l'anniversaire (*m*) *5*
blond blond, -e *1*
bottle la bouteille *8*
boulder le rocher *12*
box la boîte *8*
boy le garçon *D*
bread le pain *8*
brother le frère *3*
building l'immeuble (*m*) *7*
but mais *4*
  no! mais non *3*
  yes! mais si *4*
butcher boucher, -ère (*m, f*) *8*
  butcher shop la boucherie *8*
to buy acheter *8*
by en, par *9*
  by train en train *11*
  by plane en avion *11*

C

cake, pastry le gâteau *8*
can (food) la boîte *8*
Canadian canadien, -ne *9*
car (in a train) le wagon *11*
  dining car (on a train) le wagon-restaurant *11*
card la carte *9*
cat le chat *7*
chair-lift le télésiège *10*

check (restaurant) l'addition (*f*) *6*
checkpoint le contrôle *9*
  security checkpoint le contrôle de sécurité *9*
to check (baggage) faire enregistrer *9*
child l'enfant (*m, f*) *7*
choose choisir *9*
city la ville *6*
class la classe *4*
  second class deuxième classe *11*
to climb monter *10*
cold froid, -e
  it's cold weather il fait froid *10*
compartment (in a train) le compartiment *11*
computer l'ordinateur (*m*) *9*
conductor (on a train) contrôleur, -euse (*m, f*) *11*
content (pleased) content, -e *2*
counter le comptoir *9*

D

dairy: dairy shop la crémerie *8*
  dairy person crémier, -ère (*m, f*) *8*
damage le dommage *5*
to dance danser *5*
dark-haired brun, -e *1*
date date (*f*) *F*
  what is the date? quelle est la date? *F*
daughter la fille *7*
dear me! oh là là! *2*
degree le degré *10*
department store le grand magasin *8*
to descend descendre *10*
to detest détester *5*
difficult difficile *4*
to dine dîner *6*
dinner le dîner *11*
to do, to make faire *8*
dog le chien *7*
during pendant *5*

E

East l'est (*m*) *E*
easy facile *4*
employee employé, -e (*m, f*) *9*
English l'anglais (*m*) *8*
   to study English faire de l'anglais *8*
enough assez *4*
evening le soir *G*
   in the evening (P.M.) du soir *G*
everyone tout le monde *2*
expensive cher, chère *8*

F

family la famille *7*
fan (enthusiast) enthousiaste (*m, f*) *3*
father le père *7*
fine: I'm fine ça va *B*
to finish finir *9*
first (dates) le premier *F*
fish le poisson *8*
   fish merchant poissonnier, -ère (*m, f*) *8*
   fish store la poissonnerie *8*
flight le vol *9*
floor (of a building) l'étage (*m*) *7*
   third floor le deuxième étage *7*
   ground floor le rez-de-chaussée *7*
food: canned foods les conserves (*f*) en boîtes *8*
foot le pied *6*
   on foot à pied *6*
for pour *3*
French français, -e *8*; le français *8*
   to study French faire du français *8*
french fries les pommes frites *6*
friend ami, -e (*m, f*) *2*
   friend (chum) le copain, la copine *3*
from de *2*
fruit le fruit *8*

G

girl la fille *1*
to give donner *5*

G (continued)

glad content, -e *2*
glass le verre *18*
to go aller *6*
   to go down descendre *10*
   to go out sortir, sortir de *11*
good-bye au revoir *C*
great: that's great c'est formidable *5*
   green beans les haricots verts (*m*) *8*
guitar la guitare *8*
   to play the guitar faire de la guitare *8*

H

half demi, -e *G*
happy content, -e *2*
to have avoir *7*
he, it (*subj. pronoun*) il *1*
to hear entendre *10*
to help aider *9*
her elle (*stress pronoun*) *12*
   (*poss. pronoun*) son, sa, ses *9*
here is voici *10*
hi salut *A*
his (*poss. pronoun*) son, sa, ses *9*
hour l'heure (*f*) *G*
house: at the house of chez *8*
how comment *3*
how are you? ça va? *B*
how many, how much combien (de) *7*
hurry! vite! *10*

I

I (*subj. pronoun*) je *2*
to ice skate patiner *10*
   ice skating rink la patinoire *10*
in à *C*; dans *1*; en *4*
intelligent intelligent, -e *1*
interesting intéressant, -e *2*
island l'île (*f*) *5*
it: (*subj. pron.*) il, elle *1*
   it is (referring to weather) il fait... *5*
   it is ... o'clock il est... heure(s) *G*

is it est-ce *E*
   what is it qu'est-ce que c'est? *2*
its (*possessive pronoun*) son, sa, ses *9*

J

jazz le jazz *5*

K

kilo le kilo *8*

L

to land atterrir *9*
to learn apprendre *12*
   to learn how apprendre à *12*
to leave (something or someone) laisser *6*
to leave (depart) partir *11*
   to leave for (a place) partir à, partir pour *11*
   to leave from (a place) partir de *11*
less moins *10*
to like aimer *5*
line la ligne *9*
to listen to écouter *5*
to live (in a place) habiter (à) *5*
   loaf (of French bread) la baguette *8*
to look at regarder *5*
   look here! dis donc! *2*
to lose perdre *10*
lot: a lot beaucoup *5*
lotion la lotion *12*
   suntan lotion la lotion solaire *12*
to love aimer *5*

M

magnificent magnifique *2*
to make, to do faire *8*
many beaucoup de *5*
market le marché *8*
marvelous merveilleux, -euse *5*
me (*stress pronoun*) moi *12*
meat la viande *8*
medium (steak) à point *6*
menu le menu *6*

merchant marchand, -e (*m, f*) 8; vendeur, -euse (*m, f*) 8

midnight minuit *G*

milk le lait 8

mineral minéral, -e, aux 8

mineral water l'eau minérale (*f*) 8

minutes to . . . (with time) moins *G*

miss mademoiselle *A*

money l'argent (*m*) 8

more de plus 4

more . . . than plus... que 13

morning le matin *G*

in the morning (A.M.) du matin *G*

mother la mère 7

mount le mont 10

mountain la montagne 10

Mr. monsieur *A*

Mrs. madame *A*

much beaucoup 5

my mon, ma, mes 9

N

nautical nautique 12

neat (cool) chouette 2

that's neat c'est chouette 2

nice sympa, sympathique 2

it is nice (weather) il fait beau 5

no non 2

no kidding sans blague 4

noon midi *G*

not ne (n')... pas 2

number le nombre *E*; le numéro 11

O

of de 2

okay d'ac, d'accord 2

on the contrary au contraire 3

one (they, people, we, you) on 9

one-way ticket l'aller (*m*) 11

only seul, -e; seulement 6

to order (ask for) commander 6

our notre, nos 9

P

paper: toilet paper le papier hygiénique 8

park le parc 10

party la fête 5

informal party la surprise-partie 5

pass (boarding) la carte d'embarquement 9

passenger passager, -ère (*m, f*) 9

passport le passeport 9

pastry chef pâtissier, -ère (*m, f*) 8

pastry shop; pastry la pâtisserie 8

photograph la photographie; la photo 8

to go in for photography faire de la photographie 8

piano le piano 8

place la place 9

platform le quai 11

P.M. de l'après-midi; du soir *G*

pool la piscine 12

popular populaire 2

porter le porteur 9

pound la livre 8

to prepare préparer 5

Q

quarter le quart *G*

question: indicates a question est-e que (qu') 2

R

rare (meat) saignant, -e 6

to receive recevoir 20

record (album) le disque 5

to repair réparer 23

to reply (to) répondre (à) 10

resort la station 12

seaside resort la station balnéaire 12

ski resort la station de ski 10

winter resort la station de sports d'hiver 10

restaurant le restaurant 6

right: that's right c'est ça 2

rock le rocher 12

room la pièce 7

waiting room la salle d'attente 11

S

round-trip ticket (le billet) aller et retour 11

S

sad triste 2

sailboard la planche à voile 12

saint's day la fête 5

salad la salade 5

sand le sable 12

sandwich le sandwich 5

school l'école (*f*) 1

sea la mer 5

seashore: at the seashore au bord de la mer 12

second deuxième 7

second class deuxième classe 11

secondary school le lycée 1

security checkpoint le contrôle de sécurité 9

see you in a while à tout à l'heure *C*

to sell vendre 10

to serve servir 11

she (*subj. pronoun*) elle 1

to shine briller 5

shop: to do the daily food shopping faire les courses 8

to go shopping faire des courses

to show montrer 9

sincere sincère 2

to sing chanter 5

sister la sœur 3

to ski, to go skiing faire du ski 10

to water-ski faire du ski nautique 12

ski boot la botte de ski 10

ski instructor moniteur, monitrice (*m, f*) 10

ski jacket l'anorak (*m*) 10

ski lift ticket le ticket 10

ski pole le bâton 10

ski slope la piste 10

skier skieur, -euse (*m, f*) 10

sky le ciel 5

sleeping compartment (train) couchette 11

slowly lentement 21

small petit, -e 1

snorkeling la plongée sous-marine 12

to go snorkeling faire de la plongée sous-marine *12*

snow la neige *10*

to snow neiger *10*

snowball la boule de neige *10*

soap le savon *8*

solar solaire *12*

some . . . others les uns... les autres *12*

son le fils *7*

song la chanson *5*

soon bientôt *C*

   see you soon à bientôt *C*; à tout à l'heure *6*

so-so comme ci, comme ça *6*

to speak parler *5*

to spend (time) passer *9*

sport le sport *3*

   to go in for sports faire du sport *8*

station la station *10*

steak le steak *6*

store le magasin *8*

   department store le grand magasin *8*

strawberry la fraise *8*

strong fort, -e *3*

student l'élève (*m, f*) *1*

studio atelier (*m*) *7*

to study étudier, faire de *8*

suitcase la valise *9*

summer l'été (*m*) *5*

summit le sommet *10*

sun le soleil *5*

sunbath le bain de soleil *12*

to sunbathe prendre un bain de soleil *12*

suntan lotion la lotion solaire *12*

supermarket le supermarché *8*

swimming in the ocean le bain de mer *12*

to swim nager *12*

T

to take prendre *12*

tall grand, -e *1*

telephone le téléphone *5*

to telephone téléphoner *5*

television la télévision *5*

thank you merci *D*

that ça *2*

   isn't that so? n'est-ce pas? *2*

that is c'est *2*

that . . . there ce... -là *11*

the (*def. article*) l' (*m, f*); la (*f*); le (*m*) *1*; les (*pl*) *3*

their (*poss. pronoun*) leur (*m, f*); leurs (*pl*) *9*

them (*stress pronoun*) eux (*m*), elles (*f*) *12*

there: there is, there are il y a *7*

over there là-bas *D*

there it is voilà *A*

they (*subj. pronoun*) ils (*m pl*), elles (*f pl*) *3*

then alors *3*

this, that, these, those ce, cet, cette, ces *11*

   this . . . here ce... -ci *11*

ticket le billet *9*

   one way ticket l'aller (*m*) *11*

   round-trip ticket un (billet) aller et retour *11*

   ticket window le guichet *10*

time: at what time? à quelle heure? *G*

   what time is it? quelle heure est-il? *G*

timetable l'horaire (*m*) *11*

tip le pourboire *6*

to à *C*

today aujourd'hui *F*

town: into town en ville *6*

track la voie *11*

train le train *11*

   by train en train *11*

   train station la gare *11*

trip le voyage *9*

   have a good trip! bon voyage! *9*

   to take a trip faire un voyage *8*

tropical tropical, -e, -aux *5*

true vrai, -e *4*

   that's true c'est vrai *2*

TV la télé *5*

U

unbelievable incroyable *4*

to understand comprendre *12*

V

vegetable le légume *8*

very bien *8*; très *4*

W

to wait for attendre *10*

waiting room la salle d'attente *11*

waiter le garçon *6*

to want désirer *5*

to watch out for faire attention (à) *8*

water l'eau (*f*) *8*

   mineral water l'eau minérale (*f*) *8*

wave la vague *12*

weak faible *3*

to wear porter *12*

weather le temps *5*

   it's . . . weather il fait... *5*

   what's the weather like? quel temps fait-il? *5*

well bien *B*

   well-done (meat) bien cuit *6*

what, which quel, quelle, quels, quelles *10*

what is the date? quelle est la date? *F*

what time is it? quelle heure est-il? *G*

what is the weather like? quel temps fait-il? *5*

what is it? qu'est-ce que c'est? *5*

who qui

   who is it? qui est-ce? *D*

why? pourquoi? *4*

   why not? pourquoi pas? *4*

wide grand, -e *1*

wind le vent *10*

   it is windy il fait du vent *10*

windsurfing: to go windsurfing faire de la planche à voile *12*

winter l'hiver (*m*) *10*

with avec *6*

Y

year l'an (*m*), l'année (*f*) *7*

yes oui *B*

you tu, vous (*subject pronoun*) *2, 4; toi, vous* (*stress pronoun*) *5, 12*

   and you? et toi? *B*

your ton, ta, tes *9*; votre, vos *9*

Index